世界が滅ぶ前に私たちは何ができるのか？

内海 聡
杉本錬堂

はじめに

世界が滅ぶ前に私たちは何ができるのか?

これが、この本のタイトルです。これは、２０２２年10月２日に開催された、世界長老会議プレイベントのテーマ「世界が滅ぶ前に人類に何ができるのか？」を深掘りし、自分ごととしてとらえるために命名されました。

そもそも、世界長老会議（ギャザリングともいう）とは何か？

これは、２００７年に第１回目がペルーで開催されたもので、世界の先住民族たちの長老と呼ばれる人たちが一堂に会しました。長老たちは、シャーマンとも呼ばれることが多いようです。

この会議に、日本代表として第１回目から参加しているのが、杉本錬堂さん（天城流湯治法の創始者。以下、錬堂さん）です。もともとシャーマンではない錬堂さんが、なぜ、この会議に参加することになったのか？　そして、「世界が滅ぶ」とはどういうことか？

一方、私、内海聡（Ｔｏｋｙｏ　ＤＤ　Ｃｌｉｎｉｃ院長・内科医）は、以前から縄文人をはじめとする先住民に興味がありました。なかでも、彼らの生き方や考え方、言い換えると彼らの根底にある「思想」は、現代の日本人が忘れてしまったものであり、大いに見習うべきだと考えています。

この本では、錬堂さんと私の対談を軸に、話が展開します。２人とも、話には得意分野があるので、発言の量には偏りがあることを最初にお断りいたします。

私は、２０２３年２月に『２０２５年日本はなくなる』（廣済堂出版）を上梓しました。その内容を軸に、「日本が滅ぶ前に私たちは何ができるのか？」を錬堂さんと話し合いました。

錬堂さんは、長老たちから聞いた話（預言）を軸に、「世界が滅ぶ前に私たちは何ができるのか？」について私と話し合いました。

「そもそも、日本は、世界は滅ぶのか？」
「それは防ぐことができるのか？」
そして、本のタイトルのように、「私たちは何ができるのか？」

今の日本人は、縄文人の平和的気質も、先住民の高尚な思想も捨て去り、とにかく依存心のかたまりであり、口を開けば被害者意識、逃避、いい訳ばかりであって、それでいて誰かがやってくれる、救済してくれるという信者願望しかありません。先住民について語ること、自然崇拝について語ること、滅びについて語ることは、「その精神では、もはやどうしようもない」と知ることでもあります。見せかけのスピリチュアル、お花畑信仰（楽観的でおめでたい考え方）、言霊主義、ワンネス思考（世界は一つで、自分は世界とつながっているという考え方）を捨てて、読んでもらうことをお勧めします。

最後に、いつもお世話になっている妻と娘に、この場を借りて感謝申し上げたいと思います。

2023年6月

Tokyo DD Clinic院長・内科医　内海　聡

世界が滅ぶ前に私たちは何ができるのか？　目次

第2部　世界が滅ぶ前に私たちは何ができるのか？

スタッフ
カバーデザイン　横坂恵理香
編集担当・司会　小川潤二

プロローグ
預言の始まり
長老との出会い

世界長老会議とは何か？

内海　そもそも、世界長老会議とは何ですか？

錬堂　俺もよくわからないですよ。最初、よくわからないまんま参加したんだけど。大体、俺も自分のことを日本の長老だと思っていないんですよね。

内海　では、まず長老って何ですか？　から。

錬堂　もともと、世の中が乱れているから、祈り人、シャーマンという人がいる。
シャーマンには三つのタイプがある。
まずは、薬を調合したり、体を治したりする「メディスンマン」
あとは、預言っていって、昔から伝わっている話をする「語部」
もう一つは、人を呪ったりする「呪術師」

俺は、そのどれにも属していない。でも、たまたまペルーの第1回世界長老会議に呼ばれて行ったら、そこに27部族48人のシャーマンがいた。

内海　それはいつのことですか？

鍊堂　２００７年です。それが、第1回の世界長老会議。ギャザリングともいいます。

内海　ギャザリング、つまり集会ですね。

鍊堂　ペルーのチチカカ湖に集まった。
おもしろかったのは、その近くの空港に着陸して、タラップから降りたときのこと。
『コンドルは飛んで行く』がガンガン流れる中を、長老たちが、「わーっ」っていいながら走り出した。そうしたら、１００メートルも行かないうちに、みんなバタバタ倒れていく。

内海　なんでですか？

錬堂　酸欠で。標高が高いから。３８００メートルくらいある。

内海　富士山より高いわけですね。

錬堂　俺は、富士山にしょっちゅう登っているから、何ともなかったんだけど。

長老たちはみんな、けっきょく高山病になっちゃって、次の日は「頭が痛い」なんていってる。それで、俺はその辺の人の頭を、シャクティパット（サンスクリット語で、シャクティはエネルギー、パットは軽く叩くこと）みたいにパンパンパンパンと叩く。

内海　それ、オカルトのど真ん中っていわれているやつじゃないですか。

錬堂　で、パンパン叩いていくと、長老たちは「高山病がよくなった」っていうことになって。それが48人にパーッと広まった。

次の日は大変。ホテルに、頭に羽飾りをつけたような人たちが、頭を並べて待っていた。それを、片っ端からパンパン叩いたわけです。

それが、長老の中に交じったきっかけです。

内海　いや、意味がわからない。前後がつながってません。そもそも、なんで、ペルーに行くことになったんですか？

錬堂　それは、話せば長くなります。たまたま、東京の下高井戸（杉並区）にある本應寺《ほんのうじ》の品愚《ぼんぐ》上人が、「アメリカのセドナに、錬堂さんにそっくりの人がいるけど、会ってみないっ」ていうから。

内海　セドナってどこですか？

錬堂　アメリカのアリゾナ州にあって、ネイティブアメリカンの聖地っていわれている場所です。あのころは、そんなに有名じゃなかった。そこに、リー・グラハムという人がいる。俺がその人に似ているから、会ってみないか、という話になった。

うつみんは、自分にそっくりな人に会いたい？

内海　いや、全然会いたくないでしょ。

錬堂　俺も「会いたくないよ」っていったわけです。でも上人が「すごく似てるんだよ」と。あまりにもしつこくいうから、「何をしたいの？」って聞いた。そしたら、「並べてみたい」っていう。

内海　それだけ？

錬堂　そう。「え、並べてみたいの？」って話になった。
　俺、その上人のことが大好きだったんで、「この人と、ちょっと旅をできるんならいいや」と思って、それでセドナに行ったわけです。

内海　で、どうでした？

錬堂　確かに似てるんだけどね。

そこで、彼が晩飯を作ってくれるって話になった。なんか、俺が作っているみたいで嫌だったんだけど、けっこううまかった。

そのとき、品愚上人は坊さんなので、「こんな時代だから、みんなして祈りをあげなきゃダメだよね」みたいな話をしていたらしい。

俺は料理がうまかったんで、料理に夢中になっちゃって、話を聞いてなかった。

そうしたら、長老の1人のアダム・イエローバードが、

「来年、ペルーで長老会議があるんだけど、お前、来ないか」って、俺に聞いたらしい。

内海　そうなんや。

錬堂　そうしたら俺は、「行けたらいいね」って軽く答えたらしい。

内海　らしいっていうのは？

錬堂　覚えていないから。

で、セドナから帰ってきて、11月ごろから英文のメールが入るようになった。

英語のメールなんて、ちょっとクリックしたら課金でもされそうで怖い。だから、ずっと削除していたんだけど、しつこいんだ、そのメールが。

内海　（笑）

錬堂　そしたら、「for RENDO」って書いてあるから、「あ、俺を知っているんだ」と思って、友達に訳してもらった。

内海　なんて書いてありましたか？

錬堂　そのメールには、「来年、ペルーで長老会議があるんだけど、日本から錬堂というブッディストが来るって、サイトに書いてある。そのサイトには、写真もばっちり出ているぜ」って書いてあった。
でも、行きたくない。だって、変なんだよ。
ありとあらゆる行かない理由をつけたんだけど、けっきょく行くことになって。

内海　表面上は嫌がっているけど、深層心理的には行きたかったたってことですね。

錬堂　そうなるのか。で、けっきょく、行くことになった。

それで、アメリカのヒューストンのトランジットで、5時間ぐらい待ってた。
そうしたら来るわ来るわ。つばに大きなヒラヒラがついた帽子をかぶった人とか、頭に羽がついてたり、フェイスペインティングをしてたりする人が、どんどんやってくる。48人。
だから、飛行機はほとんどシャーマン。

内海　それで、着いた途端…。

錬堂　さっき話したように、「わーっ」ていって走った途端、みんなバタバタバタ倒れて。それで、パンパンパンパンが始まった。

内海　（大笑）

錬堂　で、「あいつはすごい」「神の手を持っている」という話になった。

彼らの中では、「左側の痛みには、悪霊が取り憑いている。恨みが憑いている」といわれるんだけど、ほとんどの人は左が痛い。だからみんな、なんか取り憑いているんじゃないかって思っている。そこで、お互いに祈りを捧げたりするわけ。

でも、俺が叩いていると体が軽くなるので、「ネクストミー」という話になる。

次に、「肩が痛いのか」なんていって、今度はガーッと天城流の技をやる。どうやら、俺がやると痛いらしくて、「ウアーッチィ」なんて大騒ぎするんだけど、そのうちに「あれ、痛くないぞ」となる。

それで、「お前すごいな」って話になった。それがまたバーッと広がって。

それが、11日間のツアー中ずっと…。

内海　長いですね。

錬堂　チチカカからマチュピチュまで1600キロくらい距離があるところを、バスを10台くらい連ねて行く。

驚くのは、長老は48人だけど、あとは500人近い人たちが付いていくわけです。

内海　お付きの人が。

錬堂　お付きというか、ギャラリー、ファンなんです。

おもしろいのは、長老たちのバスに乗りたければ、1日1万円くらい払えばいい。

内海　高っ。

錬堂　それで、あちこち祈りにいくわけ。でも、俺は祈り方なんて知らない。

内海　そうですね。

錬堂　でも、「ネクスト、錬堂」なんていわれる。

だから、もうしょうがないから、聖地だから、神社にお参りするときと同じようにすればいいのかなと思って、二拝二拍手一拝なんてやった。「パンパン」って大きな音を出して。そして、大きな声で「フィニッシュ」っていったら、「ハア？」とかいわれた。

ほかの人は、熊の毛皮をかぶって熊の踊りを踊ったり、イーグルの羽をつけておどったりする。

俺には「もう終わり？」なんていうから、「日本人は、こうやる。お前たちはこういう音を出せるか」っていって、パンパンって柏手を打つ。「出せないだろ」っていいながら。

「これは、おなかに神のエネルギーをためて、そのエネルギーが右スパイラルに入って、クリーンになったらこういう音が出るんだ」なんていって。

内海　（大笑）

鍊堂　みんな、音がくすんでいる。

内海　それで？

鍊堂　だから、「日本人は、こんな音が出せる」なんていうわけだ。

そんなこんなで、マチュピチュまでいって、ツアーが終わったわけです。

来日したマヤの長老から…

錬堂　そのツアーに行ったのは4月。10月ごろになって、マヤの長老、ドン・アルハンドラという人から連絡がありました。

マヤには147人の評議員がいて、その年にマヤの文化の何を伝えるのかを決めて、その最長老が世界じゅうに発信している。

その最高神官のドン・アルハンドラから、「11月ごろに日本に行けという啓示を受けた。準備せよ」と連絡があったわけです。

それで「何人で来るのですか」と聞いたら、「5人」とのこと。

内海　多いですね。

錬堂　それで計算すると、10日間、5人で泊まって、何百万にもなる。もう、無理無理と思った。

でも、「神様が決めたんだから」といわれて。

内海 それって、自前じゃなかったの？ 「お前払え」ってこと？

錬堂 もう、無理だと思った。でも、不思議なことに、そういうことが好きな人がいる。

内海 そうですか。それでどうなったの？

錬堂 けっきょく、来ました。

でも、俺はお金はないから、11日間、どうしようと思ったんだけど。

それでもなんとか集まって、不思議なんだけど、東京・沖縄・大阪・京都、いずれも800人から1000人くらい集まった。すごくない？

内海 儲かったんですか。でも、儲かることを期待する人たちなんですかね？

錬堂　全然、そんなことはありません。

そのツアーの最中は、長老に何かあったら大変なので、俺がガードマン兼荷物運び兼ドライバーをやっていた。唯一休めるのは、長老が講演しているときだけ。それで、長老が舞台に上がったと思ったら、隅っこのほうでガーッと眠ってしまって。

それで、あと残りは神戸と、富士でやるセレモニーだけになったときに、「ようし、あとちょっとで終わりだ、がんばろう」って思っていた。

で、神戸の摩耶《まや》のホテルで

内海　そんな、マヤなんてすごいな（笑）。

錬堂　マヤに引っ掛けて、俺が取ったんだけど。

なんか、日本とマヤの文化は、重なっているところがある気がする。

マヤのホテルで朝食を食べながら、ブリーフィングをしていたら、突然、長老が「そういえば、錬堂、お前、俺の講演、聞いたことがあるのか」といわれて。

内海　（笑）

錬堂　突然来るから。本当に、のどにつかえそうになったんだけど。

いやいやいや、これ参ったなと思って。通訳に、

「怒らないように、優しく、優しく説明してくれる？

俺ね、マヤの長老とは、前回、ペルーに行ったときに知り合いになった。だから、長老のためになんとかしたいんだけど、話の内容には興味がないんだ」

内海　興味がないなんていったらダメだから。言葉がわからないからとかいったほうが。

錬堂　だって、青い鳥のなんとか、赤い馬のなんとかとかさぁ、あんな話は全く興味がないわけ。

そうしたら、「今日やる講演は、お前、聞けよ」っていわれて。「エーッ」っていったらすごく怒られて。

「こうやって一緒に旅しているファミリーなんだから、ファーザーのいうことは全部聞くん

だ」といわれて。「はい、わかりました」っていって、下を向いていた。

内海　なんか、日本の長老はしょぼいですね。対等の立場じゃないよ。まだ長老じゃない？

錬堂　俺ね、年は長老会議の中ではけっこう上のほう。だって、みんな、ひざが痛い、腰が痛いっていう。それを片っ端からよくして。

そして彼らに、「お前、シャーマンなんだから、もうちょっとストイックにやせて、自分の聖地には自分の足で行けるくらいじゃないとダメだぜ」なんて話していたの。

そしたら、「錬堂、お前は若いから」っていうから、「エーッ」っていって。「お前はいくつなんだ」って聞いてくる。10年ちょっと前の話だから、「61歳だ」っていったら、「ミスター錬堂」なんていい出した。それまで呼び捨てだったのに。

だから、俺よりだいぶ若かったんじゃないかと思う。

内海　今の先住民は、なんかちょっと老いさらばえていそうやな。

錬堂　けっこう、具合の悪い人が多い。

内海　そうそうそう。

錬堂　で、新神戸のＡＮＡクラウンプラザホテルに８００人くらい集まって。開演の30分前になったら、長老に呼ばれて、「今日はお前が私をステージに案内しろ」と。

内海　なんか使われているじゃないですか。エスコートしろということ？

錬堂　うん、案内しろと。
「それじゃ、逃げられないなあ」と思ったんだけど、「わかりました」っていって、ステージに案内して。
　そうしたら、客席の一番前の席を指差して、「あそこに１つ席があるだろう。あれがお前の席だ」って。不思議なことに、その指差している写真が残っている。

内海　あそこに座れっていう写真なんだ。

錬堂　そう、命令です。

「やだなあ、赤い馬とか青い鳥の写真なんだろう」と思ったら…、

「我々は、シリウスから、金星とブラックホールの間を抜けて入ってきた」

内海　はい。

錬堂　うわー、何の話って。

内海　それを、800人が聞いていたんですね。

錬堂　そこから俺は、ズコズコズコッて話に引きずり込まれて。

「我々のマヤの伝承では、5回、この星にやってきている」

「プレアデス（すばる星団）からやってきた」

で、1回1回はどうなるのって思って聞いていたら、その度にこの星の生命体が全滅するらしいんだよ。

内海　なんか、よくある映画の話みたいですが、これは伝承ですね。

錬堂　そのとき初めて、そうした伝承を聞いた。「へー」と思って。

「我々は、星からやってきた。今は5回目。5回目の太陽の終息が近い」

「宇宙へ戻る準備をしなきゃいけない」と。

内海　滅ぶって話ですね。

錬堂　俺ね、どちらかというと、うつみんに近いんだよ。そういう話には斜に構える。でも、妙な話だなと思って。そこから預言の話に引きずり込まれちゃう。なぜかわからないけれど。

５回だよ。でもありえると思う。セドナなんて、６億年の地層が山にバーンと出ているけど、１０００回以上は絶滅と復活をやっているのが出ている。

内海　はい。

錬堂　だから、あれを見ると、「そんなことも、あるかもしれないな」って思えるんだ。

（第２部へ続く）

第1部
日本が滅ぶ前に
私たちは何ができるのか?

プロローグでは、杉本錬堂さんが長老に出会い、預言を得るまでの経緯が語られました。続く第1部では、世界が滅亡するという話の前に、日本が滅ぶという話を、錬堂さんが内海聡さんから伺っていきます。

2025年に何が起こるのか?

錬堂　うつみん（内海先生のこと）が、「2025年に日本はなくなる」という話をしていますが、俺、実はあんまりよくわかってなくて…。

内海　「2025年に日本滅亡」だと、なんか予言者ぽい感じに聞こえますが、私に超能力はありません。これは、予言ではなくて、陰謀論でもなくて。陰謀論がベースではなくて、日本の政府が決めたさまざまな法律の内容と、日本の現状、現実から見たものです。

それらが、もう何年も前から計画されていて、全部、同じ方向を向いているといえます。これらは、「すべて日本を切り売りしてなくすためにやっている」ということを、私は訴えています。

そのキリがいいタイミングが2025年なので、そういっていますが、もちろんずれる可能性はあります。

ただ2025年は、大阪万博があります。万博って大体、滅亡記念感謝祭みたいな、そういうところがあるので。

錬堂　（笑）

内海　はい。一部の人だけおいしい思いをするみたいな。バンザイパーティーみたいなところが毎回あるので、だから2025年といっているのが一つ。

あとは、2022年に参議院選挙が終わってから、衆議院が解散しないかぎり、国政選挙が3年間ないんですよね。要するに、政府としては何をやっても、何も問われない。選挙がないので、どんだけスキャンダルが出ようが、何も問われないし、好き勝手できるということがあります。

もう一つは、２０２５年７月に衆参同時選挙になる可能性もあります。その選挙は、その後の国の行方をすべて決めていく重要な選挙になるわけですが、国民の皆さんはそんな興味はないだろうと推測されます。

そこで多分、完全に日本滅亡確定みたいになると思います。それで２０２５年としているのもあります。

錬堂　選挙の日程からいうと、そうなりますね。

内海　それと「未来が見える」「東日本大震災を当てた」ということで有名な夢日記のかたが、本の中で「２０２５年７月に海底火山の爆発で日本は壊滅的な被害をこうむる」みたいなことをおっしゃっています。

僕には、そういうのを見る能力はありませんが、ただ、それも時期的にかぶってるということだけは、ちょっと意味があるんじゃないかと思っています。南海大地震も関東大震災もいつ来るかわかりませんが、それが２０２５年だという可能性もじゅうぶんあります。

それらを全部総合すると、２０２５年がキーじゃないかなって思ってるんですけれども。

錬堂　そうなんですね。

内海　では、僕の話を続けていきたいと思います。

大前提は、ずっと僕がいっている、医療とか、新型コロナ、新型コロナワクチンの問題で、もう日本自体がかなり痛めつけられているのは確かであり、これはもう滅亡の土壌を作っていますよね。

福島の問題も、私は原発反対、放射能危険とすごくいってきた。ものすごく病気をふやすと。特に5年後くらいから病気がふえるわけですけど。２０１５年ぐらいから、本当に若年の病気とか、いろいろ病気がふえてきて、それだけでも、日本は滅ぶだろうって思っていたところに、コロナという最高最強の詐欺がやってきたという感じです。もう、どうしようもないという感じですね。

これを前提として、それに付随して、さまざまな政治的・法律的なことが出てきました。

錬堂　俺は、そういったことにはあまり明るくないんで、続けてください。

土地が外国人に買われ続ける日本

内海　では、法律的なことからお話しします。

既にお気づきの人もいると思いますが、北海道や中国・四国地方、九州地方とか、田舎のほうが多いんですけど、いわゆる不動産、土地、その他が中国をはじめとする外国資本に買収されています。どんどん買われています。特に、水源地とか、交通の要衝とか、観光地などの重要地域が買われています。東京もそうです。

僕のクリニックの周りを見てもそうですが、ビルのオーナーも、中国とか韓国の人がふえました。

錬堂　中国人が北海道で買収した土地の面積が、俺が住んでいる静岡県よりも大きいそうですね。

内海　でも最近、アメリカのテキサス州では、中国人の不動産買収を禁止するという法案が、議会に提出されたんですよ。まだ法案は可決されていないんですが、それくらい世界はこの問題について危機感を持っています。

これに対して、日本には守るという意識がありません。法律的にもむしろ「どんどん買ってください」という感じで推奨していますね。

これは岸田総理もそうですが、もともとは二階俊博という自民党の元幹事長が、肝入りで進めてきたというのはあります。一方、政治カラーとしては左翼の共産党、れいわ新選組、立憲民主党とかは、中国や韓国のシンパで手先なので、むしろ喜んでいるから、誰も止めないという状況です。

この問題は何十年も前からあるんですが、特に買収が進んできたのはこの6～7年です。だから私は、2015年ぐらいから問題にしています。

錬堂　由々しき問題だよね。

内海　これは、水道民営化、食糧危機、水危機とセットになっているから怖いんです。

種も水道も外国に支配される？

内海　次は、種子法の廃止、種苗法の改訂の問題です。これは種採りの問題ですね。

簡単にいえば、外資が売る種を買わないと、日本では栽培・農業ができないという方向に、農林水産省が向かわせているという話です。

これまでの農家は、種を植えて、収穫後にできた種を自分で採取して、その種でまた農作物を育てていくことができました。しかしそれが「品種開発者の許諾がなければ」できなくなるというのです。

錬堂　本当？　そんな話は信じられないね。大きな問題だね。

内海　実際に、２０２２年にこの法律は施行されています。

錬堂　でも、うちの周りの農家は、自分で種を採っているよ。

内海　それは、これまで栽培していた在来種は、自家採種してもいいことになっているからです。この法律で問題にしているのは、開発者のいる品種のことです。
　でも、方向性としては、規制して行くことになると思います。
　この話は、詳しくは『２０２５年日本はなくなる』（廣済堂出版）を読んでほしいのですが、はっきりいって、「日本の食べ物がなくなる」ということですね。
　次は、水道民営化の問題です。これは、麻生太郎の肝入りでやってますね。これも２０１８年に改正水道法が成立しています。麻生太郎が勝手に、民営化できるようにしたのです。これと、先ほどの水源買収はセットです。

日本の水道業者は世界で一番優秀ですが、外資のウォーターバロンという水メジャーが算入してきたら、いいようにやられてしまうと思います。麻生太郎は、「世界中のほとんどの国では、プライベートの会社が水道を運営」しているといっていましたが、実は世界では「再公営化」が主流です。

日本は農薬の使用量が世界一

内海　農薬問題も、日本を滅亡に導く、大きな要因の一つです。2015年には、農薬使用が規制緩和され、日本は世界で最も農薬を使っていい国になっています。2017年には、悪名高いモンサント社のラウンドアップという枯葉剤の残留基準を緩和しています。

鍊堂　ラウンドアップは、ネット通販でも、ホームセンターでも買える。

内海　日本は、**農地面積あたりの農薬の使用量が世界一**です。よく「中国産の野菜」が怖いという人がいますが、実は日本のほうが、はるかに怖い。日本は、農薬の在庫処分場にされているのです。２０２１年には、水道の農薬規制値がほぼなくなりました。

獲った魚はみんな海外へ

内海　漁業法改正も大問題です。２０１８年12月に、70年振りに改正漁業法が施行されました。これまでは、漁業組合は地元の人たちに優先権がありましたが、このときから一般企業が参入できるようになりました。外資が漁業組合を買えるようになったのです。

錬堂　既に、漁獲量が減っていて、漁業が成り立たなくなってきている。

内海　**近海で獲れた魚が、全部、外国に持っていかれる**危険性もあります。

また、養殖も広域漁業もやる気なしです。

好き勝手に木を伐ってもOK

内海　林業も危機にあります。２０１９年に成立した改正国有林野管理経営法も、漁業法と同じように、外資が国有林を経営できるという内容です。好き勝手に林業できるんだけど、**ハゲ山になろうが伐った後は植えなくてOK。**無茶苦茶できるんですね。その後にハゲ山になって、どうしようもなくなったら、それは税金で補填するっていうのも決めている。

錬堂　一度、ハゲ山になると、戻すのが大変だよね。

　先日、伊豆にある我が家の土地で、間伐の依頼を間違えて、ハゲ山にしちゃった。それで、なるべく自然に戻すため、植林を始めています。驚くことに、いい状態になるまでには、40年以上かかるとのこと。

　つまり、俺はそれをあの世でしか見ることができない。それでも、責任を持ってやろうと思うんだよ。

内海　一度失ったものを戻すのは大変ですね。中国が入ってくるだろうといわれています。国有林ですから、自然保護の意味もあるはずですが、メガソーラー太陽光発電と結び付けられて伐られる可能性がありますね。

錬堂　太陽光発電は、伊豆でも広がっている。一見、エコっぽく見えるけど、貴重な森林を伐ってまで行うことかは疑問だね。日本野鳥の会も、野鳥の生息への悪影響を心配しているよ。

ゲノム編集食品で食糧危機を回避!?

内海　ゲノム編集。これは遺伝子組み換えなどの新技術ということで、もう導入すると決まっています。日本の外食チェーン店系は、これを入れていくことになっていくと思います。でもその結果、遺伝子組み換えと同じように、健康被害を出すことになるでしょう。

政府は食糧危機を煽っていますが、その際、こういう**フェイクな食べ物で代用していきた**

いと考えていると思います。ですから、実質的には食糧危機は来ないと私は思っています。コオロギ、ゴキブリミルク、うじ、フェイク卵、フェイクミルクを流行らせますので。

このような事態を、本質的食糧危機といわれたら、そうですよねという話ですが。

錬堂　やっぱり、自然な食べ物を、よくかんで食べたいね。それが健康の基本だし。

特区法で日本が日本でなくなる日も近い

内海　あとは特区法、２０２０年に参議院で可決されたスーパーシティ法です。国家戦略特区法とその改正案。これがいわゆる特区法ですが、いろいろやってます。

情報の管理では、その特区は一元管理で全部の皆さんの情報は国とか行政とかトップの人が握りますということで進めています。

それと、外国人労働者をどんどん入れて、日本じゃなくしていく。これは外国にとって有利です。

さらにいうと、外国人労働者と日本人の労働者を同じ賃金にすることが模索されています。そして、その**外国人労働者の賃金に、日本人の労働者の賃金を合わせていって、それを雇用するのが外国人というモデル**にしたい。パソナとかが、その先駆けになるっていう感じですか。

それと、これとつるんでいるのが日本維新の会とかですかね。

そんなことをしているうちに、新型コロナの話が入ってきました。これでもう2025年に滅ぶ、という話につながっています。

ＴＰＰで不平等条約を押しつけられる

内海　そしてＴＰＰ（環太平洋パートナーシップ協定）の問題。

安倍政権時代に、「ＴＰＰはダメ」といっていたはずなのに、日本はけっきょく参加しています。

２０１７年1月に、トランプ元大統領がＴＰＰから外れるといって、アメリカは一時外れました。しかし、バイデン大統領になってから、ちゃんと交渉を進めています。日本は、アメリカが入ってなかったＴＰＰに入り、既に履行されています。

さらに、ＲＣＥＰ（東アジア地域包括的経済連携）という、中国と韓国が入っている自由貿易協定にも参加しています。それと今の円安とか経済不況は関係しますが、誰もニュースではいいません。これはタブーだから、いわないんだと思いますが。

また、２国間での自由貿易、これをＦＴＡといいます。これとは別に、アメリカとはＴＡＧ（物品貿易協定）を進めています。これは、価値観まで全部自由貿易しようみたいなものです。

このＦＴＡやＴＡＧでは、最恵国待遇といって、２国間交渉で成立した有利な関税条件は、ほかの国にも適用することになります。しかし、それは昔から難しいことです。戦前の日本でも、不平等条約といって、不利な条約を、欧米諸国と結ばされていました。

これと同じで、既に国力が落ちている日本は、アメリカや中国などに不平等な条件を押しつけられる危険があります。

自民党の改憲草案がマジでヤバい

内海　さらに問題が、改憲と緊急事態条項です。これについては、持論を述べさせていただきます。

今の自民党の改憲草案の内容を見ると、「マジ終わってるな」っていうぐらい、とんでもないんですが、マスコミはどこも報道をしませんね。

改憲というと、大体、「今の憲法はアメリカの押しつけだ」ということから、大日本帝国憲法に戻したいとか、新しい憲法を作りたいとかいいます。確かに、日本国憲法はアメリカの押しつけ憲法なので、その気持ちはわかる部分もあります。

それを差し引いても、2012年に出された自民党の改憲草案の内容は、かなりヤバいものです。今は、2022年の参議院選挙で勝って、改憲派が3分の2を超えている状態です。だから、改憲勢力が好き勝手できるので、改憲を進めたいと。そういいながら、新型コロナの動向とかを一応見ながら、進めていきたいということです。

普通、改憲のニュースに出てくるのは、「天皇は王様や」といって**元首に戻す**、独裁制に戻すということ。

あとは**憲法9条をやめる**、国防軍にすると明記すること。自衛隊は実際に存在するから、それは僕もしかたがないと思います。

そして、どんどん国際協調するっていっていますが、それはけっきょくアメリカの2軍になるということなので、それでは全然平和になりません。どんどんどんどん紛争地に送られたりして、こき使われます。アメリカは世界で一番問題を起こしますから。

こういう内容になっているのが、9条改正案の問題です。

これは大きな問題なのですが、そもそもの問題もあります。それは、改憲のしかたについて、決め方や人数の規定ができとー。だから選挙をして、国会で憲法改正案が決まったら、その後、さらに国民投票をしなければならないのですが、その国民投票は何割の人が行けば成立するという決まりはありません。そして、今まで国民投票で3分の2の賛成が必要だったのが、改憲案では半分でいいことになっています。つまり、簡単に通るということです。みんな、選挙に行きませんから。

自民党のシンパは、全国に2割前後だといわれていますが、投票率が40%だったら、20%いる自民党員がみんな投票しに行ったら、もうそれだけで通ってしまいます。

もう民意は反映されないし、一般人はあきらめているけれど、ヤバいのは軍隊の話だけではありません。

改憲のそれぞれの項目もいろいろ問題がありますが、一言でいえば、「国がすべて」。国体といって国の体がすべてで、市民はどうでもいい。国民の権利とか、奴隷たちに主権とかはあるわけないでしょうというのが基本的な考えです。

本来、憲法はそういうものではありません。法律は国民を縛っても、憲法はそもそも、**定義上は国民を守るもの**であり、**権力者を縛るもの**です。定義が違うのに、それを自分たちの都合よくやろうとして、思い切り独裁を進めようとしています。

例えば、有名な項目に**信教の自由**があります。政教分離もそうなんですが、これまでは、国はそういう宗教儀式は国民に押しつけないというのがありました。しかし自民党の改憲草案では、これをやってもいいことになっています。

集会、**通信**、**主張の自由**、つまり**表現の自由**も同様です。それは、公益に逆らうものはダメと、草案では変えられています。だから、戦前の時代みたいに、国に逆らっているからダメだ、禁止だ、みたいなことができるというのが、改憲案に入っています。

また、総理大臣は**退役軍人でもOK**に変わります。今までのシビリアンコントロール（文民統制）という考えはなくなります。

財産権も、公のほうが優先になるので、みんなお金を供出してくださいというのが許されることになっています。**集会も禁止**です。公益に逆らうもの、お国に逆らうものは禁止。

弁護士は最高裁判所に従わなければならない。今まで検察官だけが従えばよかったのですが。ということは、**弁護士は国と訴訟できなくなる**ということです。それ、最高裁判所に逆らっていることなんだとなります。

とにかく、全部同じ。**自由はなくなる。97条に基本的人権という項目があるのですが、これは全部削除ですね**、11条にも基本的人権があるので、「97条は重複しているから」といって削除なのですが、これは憲法学者にいわせるとすごい問題らしいですね。

そうやって、要するに「国民なんて奴隷以下だ」というのをそのままやっています。

緊急事態にすれば国はなんでもできる

内海　そして、緊急事態条項というものを作ろうとしています。すごく簡単にいうと、緊急**事態のときには、国はなんでも好き勝手やってもいい**という法律です。

非常時のときに、そういうことをやる権利があるというのは、他の国にもあります。でも、それにはいろいろ制約があります。非常時にはそうするが、問題が終わったら速やかに元に戻すみたいな。

でも、これは**自民党の改憲草案にはありません**。やりたい放題。ヒトラーは、緊急事態条項を使って独裁制のナチスを作りました。自民党の改憲草案は、それと同じような内容になっています。

また、**地方自治は存在しない**という方向に変えています。緊急事態条項では、政府だけで勝手に法律が作れる。政治家は無制限に辞めなくてもOK。自分たちに都合がいい。私は簡単にいってますが、すべては同じ方向に向いてますね。

これの目指してるものを一言でいえば、完全な超管理主義。超共産主義。そういう世界。お金持ちとか一部の権力者だけが、世の中を動かすっていう、超管理主義の、超共産主義の世界。というものを作る。

今までは、見せかけだけだけど、日本人にはまだちょっと自由がありました。アメリカの属国というところはありましたが、日本らしさ、自由はまだ少しあった。でももうなくなって、ドツボにはまるでしょう。

そのときに騒いでも遅いですよ、みたいな。軽くいっていますけど。

これらがもう準備されてきて、すべて実践され、終わった状態です。これからこうなるのではなく、**もう終わったん**ですよ。

だから、２０２５年っていう。他にも、いろいろ日本のマイナスの情報をいい出したらきりがないと思いますが、これが２０２５年に滅亡するという理由の一端ですね。「日本、マジヤバいよね」というところから理解しないと。最初に根本を押さえないと駄目だと思います。

錬堂　うつみんは、喫緊の問題はなんだと思う？

内海　**漁業法はヤバい**っすよ。私、魚が好きなんで。日本は海の国で、近海で獲れる魚が大事ですが、漁業組合が外資に変わると、日本の近くで獲れた魚が全部そのまま外資のものになっちゃう。

反対する人もそれなりにいると思いますが、漁業組合は喜ぶかもしれません。でも、日本の近くで獲れた魚が、国内に流通しないということは、これはもう完全売国システムですから。

政治家や官僚は当てにならない

錬堂　こういった、2025年に向けての問題、特に法律の問題について、日本の政治家はどう考えていると思う?

内海　もう、あきらめてると思いますね。政治家で、特に地位を持っている人たちは、ロビー活動、要するに多国籍企業や大きい会社から献金されてるってことですね。表金も裏金ももらっている感じだから、もうお金のためにやっているだけ。日本が嫌いな政治家はいっぱいいるから、恨みとかもあるかもしれませんが、でも一番は目先の金ほしさだと思います。国政の年寄り政治家なんかは、自分たちは「逃げ切り」だと思ってますよ。っていうか、今の岸田なんて全くやる気ないもんね。中国のほんまに手先みたいな感じですよ。河野太郎もそう。

二階俊博もそう。だけど、もういい加減、老害で追い出されつつありますが。

そういう人たちは、全然、興味がないというよりは、もう既定路線だと思っていて。そっちの強いほうに着こうみたいな。「日本を守ろう」みたいな感じはないですね。

もともと、自民党や保守はそういう考えのはずなんですけど、そんなのは見つけるのも一苦労。だから今、完全に八百長、デキレースですよね。左というと共産党、れいわ、社民、立憲とかですが、中国や韓国のシンパであり、手先といわれます。でも実は、自民党も共産党も中国に近い人がいる。つまり、アメリカに魂を売るか、中国に魂を売るかの違いぐらい。

錬堂　俺としては、信じ難いけれど…。官僚はどう？

内海　官僚は、国民と政治家がもうちょっとマシになってくれないと、どうしようもないと思っていますね。自分たちは、けっきょくこき使われて、そのくせ文句をいわれるほうだから。

それを、経済安定でなんとかやってきた。ここまで、官僚をおだててやってきたところはありましたけど、天下りもあるし、給料がいい。安定性が高いっていってやってきたけれど、もう、それだけのためだけに仕事やってる感じですかね。思想はない。

遺伝子組み換え表示ができなくなる

内海　遺伝子組み換えやゲノム編集の導入にも、法律が絡んでいます。遺伝子組み換え表示法というのを、２０２３年に変えたんですよ。

遺伝子組み換えって、今まで５％までは混入してＯＫだったんですね。それをもっと厳しくして、いっさい入っちゃいけない、そうでなければ、「遺伝子組み換えではない」と表記できない。これ、知らない人が聞くと、「基準が厳しくなったんだからいいじゃない」と思うかもしれません。

錬堂　そうなんだ。

内海　でも、実際に農業とか食品加工をやっていると、**どうしても混入してしまう可能性が否定できません**。全部の商品を、最初から最後まで自分で作っているわけじゃないから。

だから、５％未満というのは、そこにちょっとだけ余裕を持たせる意味もあったんです。でも、「そういうのが全く入っていないものしか認めない」という話になると、けっきょく、最初からきちんと管理している大企業しか、表示ができなくなります。

要するに、**「遺伝子組み換えではない」という表記を書けなくなる**。書いて、もし混入していたら、法にふれてしまうわけです。こうして、みんな書けなくなるので、遺伝子組み換え表記はなくなる可能性が高い。

錬堂　そうなんだ。

内海　これを、農水省は進めています。それに対して、生協系とか、日本の種子《たね》を守る会とか、元農林水産大臣の山田正彦さんとかが頑張っているみたいです。

しかし、けっきょく農水省の官僚は、「遺伝子組み替えは日本の食品業、食品業界のためにならない」という話をされたときに、「これは外資の圧力だからしかたない」と明言しました。外資のために、穀物産業と遺伝子組み換え編集会社のためにやると、農水省の職員が明言したのです。そういうふうに、アメリカの駒ですからね。駒に徹しようといってるんでしょう。

でも、官僚はしょうがないでしょうね。ますますお先真っ暗です。農薬とか、準備として規制緩和を先にやっておいたわけです。

錬堂　食べ物に関しては、作り手の顔が見えるような、しっかりとしたものを食べて自衛するしかないね。なかなか難しくなってくるかもしれないけど。

『スター・ウォーズ』と同じような世界になる

錬堂　２０２５年になったときの日本は、どういう姿になっているイメージかな。

内海　日本という国とか、名前は存在しています。そうなんだけど、それまでとは違います。これまでは、まだ少しは日本らしさがあったり、政治家がアメリカに指令をされてもくいさがる人もいました。支配される属国でありながらでも、一応、建前上は主権がありましたから。それで、なんとなく日本らしさを出し、国民もそれなりに生活できていたという感じです。

それが、２０２５年以降は、**日本という名前だけは残っているけれど、日本人がコントロールしている状態ではなくなります**。だから、チベットとかウイグルとか、ああいうイメージです。これから先、２０２５年以降は、外国人が日本を完全支配します。日本人は雇用されるほうで、外国人が雇用しますから。

僕はよく、映画の『スター・ウォーズ』にたとえるんですよ。『スター・ウォーズ』って、星自体はあるじゃないすか。その星が集まって、銀河民主共和国というのがあります。それももちろん腐敗しているんだけど、それが、物語の中では帝国に変わっちゃったんですよね。帝国になって、支配体制が一気にガラッと変わったんだけれども、星は存在して、そこに住んでいる人はいるんですよ。全員が帝国に殺されたわけではなくて、そこでのコントロールシステムが変わってしまうわけです。全然違う形なんですね。でも星は残っている。

日本もそうなるんでしょうね。でも、それでは「ない」のと一緒じゃないですか。

だから、「日本はなくなる」っていっています。「日本は今までも属国だったじゃん」なんて、よくいわれます。それはそのとおりだと思いますが、でもどこかの度合いでレベルが違う。二歩進んだ感じです。素人でも、目に見える形になってきます。

もう既に、みんなもなんとなく感じているんじゃないですか？

最初、２０１７年くらいにこの話をしていたころは、まだ一般にはわかりにくかったのですが、このコロナになってからは、一気に話が周りに通じるようになりましたね。顕在化してきた感じですか。でもこれでまだ目に見え始めただけですからね。

Ｔｗｉｔｔｅｒはイーロン・マスクになって変わった

錬堂　情報操作についても聞きたいんだけど。うつみんは、ＦａｃｅｂｏｏｋやＴｗｉｔｔｅｒがバンされる（アカウントが停止される）ことがあるけれども、そういった圧力を実際に感じることはあるの？

内海　ありましたね。Ｆａｃｅｂｏｏｋは、新型コロナの最初のころによく止められました。というか、その前からもＦａｃｅｂｏｏｋはよく止められました。

ＹｏｕＴｕｂｅのほうがあからさまですね。ＹｏｕＴｕｂｅは、もう完全に検閲検閲で。

新型コロナとは全然関係ない話でも、検閲で止められて。それで、今の番組（ニコ生動画）に変えましたから。もう、ＹｏｕＴｕｂｅでは社会番組はやめましょうといって。でも、フォロワーがもったいないから、ほかの番組に変えて続けたんですけど。

本来の私のキャラじゃないけれど、やり方をソフトに変えました。それをまず住み分けした感じです。

あとは、Ｔｗｉｔｔｅｒもアカウントを永久凍結されていましたが、こちらは戻ったんですよね、Ｔｗｉｔｔｅｒは、トランプ元大統領と同じ扱いで、完全永久凍結になりましたね。ただ、イーロン・マスクがＣＥＯになって、アカウントが戻ったのでラッキーでした。イーロン・マスクは、「陰謀論って本当じゃん」みたいな話を自分でいっています。彼は、そういうところがある人なんですよね。

でも、あの人は、けっきょく財閥系の人であるってことは変わらない。あんまり期待はしてませんが、でもＴｗｉｔｔｅｒは戻ってよかったと思います。

錬堂　大変だったね。俺は、あんまりこういった発言はしないし、止められた経験はない。

内海　錬堂さんは、Ｆａｃｅｂｏｏｋの書き方を見ていると、やっぱりソフトなんですよね。それに、Ｆａｃｅｂｏｏｋで西洋医学の批判を書いたとしても、なにか問題が起こることはないですよ。

今回の新型コロナで、とにかくワクチンとかＰＣＲ検査とかの話を、核心にふれるようなことを書いた人が、やっぱりやられているというのがあります。

あと、インターネットでいうと、やっぱ政治の話とか、政治の裏側の話。特に、財閥の話や、多国籍企業とか。あるいは、ルーツの話ですかね。宗教の話も若干入ってくるかもしれません。

それと、いわゆる部落問題とか、在日問題とか。要するに、差別につながるという建前ですが。でも、政治を考えるときに、そこが一番大事なんですけど、それが一番タブーとして、全部、検閲検閲検閲となりましたから。ユダヤなんて名前、１回でも出したら、もうそれで消されちゃう。２０２０年からは、特にそれが強かったですね。

ＳＮＳを検閲しているのは誰？

錬堂　ＹｏｕＴｕｂｅやイーロン・マスク以前のＴｗｉｔｔｅｒなどの検閲をしているのは、誰だったの？

内海　イーロン・マスクの前は、ネットのいい方をするとディープステートになりますが、それは要するに金融資本の本丸を含んだ周りの人たち、周りに群がっている人たちです。その代表格がジョージ・ソロスとか、ビル・ゲイツとか、世界経済フォーラムの会長のクラウス・シュワブとか。あとはバイデン大統領とか、イーロン・マスクの何代か前のＣＥＯとか。もう全部含みますが、そういう人たちとＧＡＦＡ（Ｇｏｏｇｌｅ、Ａｍａｚｏｎ、Ｆａｃｅｂｏｏｋ、Ａｐｐｌｅ）がかかわってきました。

そのＴｗｉｔｔｅｒの検閲を、政府や製薬会社に頼まれてたというのを、イーロン・マスクが公開していました。そのＳＮＳに、製薬会社が「これ検出しておいて」って頼む。こういう話になるのは、一応ＴｗｉｔｔｅｒとかＳＮＳは、思ったことを書けるという理屈になってるはずなので。しかし、検閲のために人事も操作していたとわかって、イーロン・マスクがそれを公開したんですね。
アメリカ大統領も反応して、アメリカ大統領報道官の女性が思いっきり逆ギレして、めちゃめちゃ問題なのに、「これは全くつまらない問題ですね」なんていって、記者会見してました。それを、アメリカでは大問題として扱っています。

錬堂　じゃあ、うつみんの書き込みをチェックしているのは誰？

内海　今はＡＩが主流ですが、もちろん人もやっていると思います。両方でやっているはずです。

錬堂　もう目をつけられているんだ。

内海　そう思いますよ。当然ながら、自民党に限らず、大体の政党はＩＴ系の会社を雇用しています。そういう会社があるのは有名な話で、僕はそこに勤めていた人を知っていますから。

そこでは、スマホを500個ぐらい持っています。全部に、SNSのアカウントを作っておくんですよ。それ全部、工作員アカウントですよ。一つ二つじゃなく、何個も作っています。それらが連動して、自分で勝手に動いて自分で勝手に投稿します。

さらに、危険キーワードを発している人を見つけるとか。それをやってる人は普通にいますし、そいつはそれを見つけたら、SNSとかにコメント攻撃をするというのも普通です。それが仕事らしいですよ。

政党なんかも、自分たちの文句をいってるやつは早く見つけます。逆に自分たちのサクラとして、応援コメントを書かせるやつをいっぱい作っています。それぐらい、偽物、フェイクがあふれる世界になっています。

錬堂　そうなんだ。

内海　いえ、こういう話が報道されない、話題にもならないのは、日本だけだと思いますね。ヨーロッパやアメリカは、大手メディアやSNSだけじゃなく、ローカルテレビが多いですから。こういう話は、けっこう問題にされます。それを見ている人も多いですから。アメリカFOXニュースは、暴くの好きだから。CNNは最悪です。そのCNNでも、たまにいいことをいいます。

もう、日本のメディアはほんまに腐っている。無茶苦茶ですね。世界最悪のメディアというぐらい。

コロナワクチン問題はテレビでやらない

内海　コロナワクチンによる超過死亡の問題がネットでは騒がれているけど、テレビでは全く出ない。出たとしても、「超過死亡の問題で、なんか、デマがネットに出てる」みたいな感じ。あるいは、コロナのせいで死亡がふえているなんて、無茶苦茶いうなと。

テレビは、おじいちゃん、おばあちゃんばっかりが見ていると思って、適当に撮って、見せれば終わりだと思っているのか。

あと、一番よくある理由が、「ついに団塊世代の人たちが死に始めた」と。一年たっただけで、そんなにふえるわけはありません。それなら、２０２０年にもふえていなければならないのに、その年は死者は減っていますから。だから、理屈に合わないですよ。

錬堂　俺も、もうすぐ75歳だけど、まだ死にそうな感じはない。

内海　本当は、何が原因で死んだかを国が調べようとしたら、簡単にデータ化できるはずです。それも、国が絶対に出さないように配慮しています。

この問題は、新型コロナワクチンを打った人が、何人くらい死んでいるかを調べるのが一番いい。それが一番可能性が高いんですから。でも、それは絶対調べないですよね。普通に考えても、ほとんどの人が接種してるから、それがふえている要因だと思うし。

医療の現場では、もうみんな知ってますよ。**救急隊員も、最初に「新型コロナワクチンを打ちましたか」って聞くんだから。**「新型コロナにかかっていますか」じゃなくて、「ワクチン打ちましたか」って。

司会　コロナに関しては、国民がワクチン賛成派と反対派に別れていますね。支配する側から見ると、そのほうが都合がいいんでしょうか。

内海　そうですね。ただ、分裂しているように見えますけど、新型コロナやワクチンについて、「おかしい」っていっている人は、まだまだ少数です。分裂しているとまではいえないレベルだと思いますね。

ただ、ワクチンの接種率は下がっているし、疑問に思っている人はふえているはずです。トロイんですよ、とにかく日本人は。

マスク問題にしても、今、**世界で一番マスクをしていて、ワクチンの接種率ナンバーワン。それで世界で一番、新型コロナに感染しているという**段階で、おかしいと思わなきゃいけないんだけど、それさえもいえない。発言は皆ネットだけです。そういう感じだから、まだ全然弱いけど。

とにかく、日本人はみんな「長いものに巻かれたい」んで、バーって流れができたら、そっちに追随していくんでしょうね。

鍊堂　マスクについては、移動中はつけていたね。それで争うのもめんどうだし。

内海　「出る杭は打たれる」から、怖いっていうのはあると思います。心の中では「おかしい」と思っている人は多いと思います。潜在的にはやっぱり、3～4割の人はおかしいと思っているんじゃないでしょうか。ワクチンを2回接種したけど、3回目以降は接種しない人がふえたんで。それは過半数いますしね。

それで考えると、3～4割の人は、なんとなくおかしいと思っているけど、その理論については学ばない。とにかく、コロナワクチン反対といっているのは、ヤバい人、ヤクザ、反社。そういうイメージですね。

鍊堂　とにかく、うつみんの話は衝撃的だね。

子どもたちにとっての2025年

錬堂　それで、２０２５年は子どもたちにとって、どんな状態になると思う？

内海　もう、２０２５年は子どもにとって最悪。ここが虚無主義っぽい人間の発想なんでしょうけど、僕のこの数年の活動で、日本がよくなるという期待はしてないわけですよ。

そうなったら最高ですけど…。

でも、あまりにも少数派だし、今はみんな無関心だから。期待はしていなくてもやるのが、虚無主義らしいところで。

僕の言葉でいうと、「最善や、理想や正義はいらない。最悪を排除するためだけに活動する」っていうことですかね。

それが、実際に今やっている動機とか理由になります。

鍊堂　最悪というのは？

内海　2025年に僕がイメージしているのは、自分たちで何もできない日本。自由のカケラもない、主張もできない。食べ物でも、治療でも、何でもいいけど、そういうものの選択もできないっていう世界ですね。それに対して、日本でも日本以外でも、お金持ちも含めたいろんな人がコントロールしたがってて、支配しようとしている。

それはよくわかるんですよ。だから理想論的には、そいつらを倒さないとどうしようもないという話になりますよね。それ、陰謀論ど真ん中の考え方になりますけど。

もちろん、そうなったらいいんですが、僕は、それがもう期待できないといってるわけだから。

そうじゃなくて、自分たちとか、自分の子どもたちが、最低限のライン、今の「属国日本状態」でもいいから、今の状態を少しでもキープできるためにやるっていう考え方です。

だから、最悪の排除ですよ。

それぐらいしか、今の日本人にはできないだろうって僕は思ってるんですよ。

錬堂　俺としては、やっぱり日本の若い人に期待したい。若い人の心に。

◉二人の出会いは？

内海　ところで、僕と錬堂さんは、いつ出会いましたっけ。

錬堂　そんなに前じゃない。3～4年前。

内海　もともとは、Ｆａｃｅｂｏｏｋで知り合った大阪の三浦《みうら》直樹《なおき》先生（みうらクリニック院長）から、錬堂さんの話を聞いたのが最初です。

錬堂　どんな印象だった？

内海　亀仙人！（笑）

錬堂　ＹｏｕＴｕｂｅの「スナックうつみん」に亀仙人のコスプレで出たんだよね。

内海　仙人っぽいイメージはありますよね。もともと、外見も亀仙人で。日本にはスキンヘッドの人はなかなかいないから、かなりインパクトがありました。

でも、実は10年くらい前に、腱引《けんび》き（日本古来の伝承技）の講演会でお会いしていたそうで。２００人くらいが参加している会に、錬堂さんがいたそうですね。

錬堂　俺は、うつみんがそこにいたのは知っていたけど、セッションが忙しくて。打ち上げで挨拶しようと思っていたら、そこには来なかった。そのときは、言葉を交わさず、すれ違ったわけだ。

内海　その後、僕もだんだん人づきあいが広がってきて、スタッフなどから錬堂さんの噂を聞くようになりました。僕は手技はやりませんが、手技療法をやる人はクリニックにたくさん勤めているので、錬堂さんの情報が入ってきたわけです。

錬堂さんは、僕の第一印象はどんなものでしたか？

錬堂　最初は、「この人は、何をしたいんだろう」と思ったんだよね。一緒にいても、あまり話に参加してこないし。それで、何回か一緒にメシを食ったあとに、うつみんの事務局のAさんに、「うつみんは、俺のこと嫌いだよな」って聞いたんだ。

そしたら、「何いってるんですか、ラブラブですよ」と。

内海　ラブラブッって…。

錬堂　Aさんはそういったんだよ。

内海　錬堂さんは、自分で健康法を開発されて、お弟子さんもたくさんいる。だけど、その割には気さくというか、威張ったところがありません。お弟子さんにめっちゃいじめられていたりして、そういう感じもいいと思いました。

錬堂　うつみんは、エラそうにしている人が嫌いだよね。

内海　僕の中で応援できない人は、「自分の正義感を強く主張してくる人」

僕の本の中でも書いていますが、僕は正義とか真実とかいう言葉が嫌いなんで。正義はない。真実はない。だって、その人の真実は、別の人には真実じゃない。相対的なものだから。

よく、何々流の初代とか、考案者とかで、「俺はエライんだぞ」という感じの奴が、講師とか、教祖とかをやっているのは、それあり得ないと。それは、僕の漢方の師匠の教えでもあるんだけど。

僕はニーチェの虚無主義とかニヒリズムから始まり、性悪論者だし、儒教者じゃない。中国には昔から興味があって、三国志とか読んでましたけど、儒教は固いんですよね。そうじゃなくて、道教の思想みたいな感じの人間ですから。

実家は、両方とも浄土真宗のでかい仏寺なんですよ。

とにかく、両方ともクソの一族でしたから。それを見ながらの宗教観でしょ。でも、けっきょく今は、宗教っぽいみたいなことといわれますし、やってますけどね。
仏陀は尊敬しています。仏陀を尊敬しているのと、仏教を尊敬するのは全然違うし。仏陀の精神性の一つに「空」という概念がありますけど、すべては諸行無常みたいな感じ。これにはものすごく同意できるんですよね。

そういう感覚がある人、相対的にいろいろあるからおもしろいみたいな感じの人は、つきあいたい人なんだけれど。それは、会話の余地があるから。

錬堂　さっき、「虚無主義で人には期待しない」といっていたけれど、うつみんは政治活動もやっているよね。これは、他人を巻きこむ話なんだけど、その辺はどうなの？

内海　そもそもなぜだろう…。
僕も嫁と結婚したり、子どもができたりしたのが、政治活動をしている一つの理由です。「子どもなんかいらん」と思っていたけど、実際に子どもができたら「すいません、私が間違ってました。めっちゃかわいい」みたいな感じで、「ちょっと人生反省して、まじめにやるわ」ということから始まったところもあります。

そういうことで、何回か心変わりしてきたところがあり、それが医療の問題を中心に、社会活動を始めた理由の一つではあります。

でも、その活動を10年ぐらいしてても、「全然、日本変わらんな。むしろ悪くなってんな」みたいな。というところから、「政治についても、本腰を入れて考えなきゃいけないな。いやだけど、税金みたいなもんだからしかたない」みたいな感じでやりだしたのが、ちょうど5年ぐらい前です。２０１７年くらいからじゃないかな。

だから、先ほどいったように、理想を求めるより、最悪を排除するというのが私の政治理念です。

錬堂　俺とうつみんの関係は、あんまりガッツリつきあうという感じではないけれど、「応援するぜ」という感じなんだよね。「何でもいいよ、でもつきあうぜ」という感覚なんだ。

これからも、そんな感じでつきあっていくんじゃないかな。

統一教会とマスメディアの問題

司会　日本の問題として、2022年から新興宗教がクローズアップされています。特に統一教会がかなり問題になっていますが、それはどういう流れでしょうか？

内海　統一教会ですか。なんか滑稽ですよね。そもそも、ネットで陰謀論をクソのように叩いた人々がたくさんいたわけですよ。ていうか、ほとんど全員が、「日本の政治と統一教会が結びついてる」「統一教会が日本を牛耳っている」という話は、陰謀論として一番コケにしてきたわけですよね。

それをいったら、「陰謀論者がネットにはまって、なんかだまされてる」「なんかすっげえ頭おかしい人」とか。

その「統一教会が日本を牛耳ってる」といったら、みんなが陰謀論だっていっていたのに、そういっていた奴らも手のひらを返して、「こんなに統一教会は問題だぞ」と鬼の首を取ったみたいにいっているのは、本当にクソですよね。マスメディアとか、マジクソみたいな。

「お前ら全部、否定していただろ」ていう感じだけど。

鍊堂　そうなんだ。

内海　その問題が、こうして表に出てくるっていうことの意味はあるんでしょうけどね。こ**の統一教会に代表される新興宗教が、日本の政治に重大な影響を与えて、コントロールする力になっていたのは事実**だと思います。それはどこから、っていう話になりますが、もう究極的にはアメリカです。アメリカがいて、アメリカの裏がいて、という話になります。

統一教会は、キリスト教の協会です。韓国の新興宗教ではない、究極的にいうと。こういうものをどうやって作るに至り、なんで権力を持たせるようになったか。となると、第二次世界大戦があり、冷戦、つまり共産主義と民主主義、資本主義と共産主義の対立がありました。それを作っていたわけです。

よく、超富裕層といいますが、彼らが実験として、ソビエトとアメリカというモデルを作った、冷戦構造を作ったみたいにいわれていますが、確かにそういうところはあります。

右翼と左翼でもありますね。共産主義が左翼。民主主義や資本主義というものが右翼。財閥とかお金持ちは偉いみたいなのは右翼っぽいところがあります。だから、今の保守サイドはそういう考えですね。

宗教は、基本的には右翼サイドです。古い宗教も、新興宗教も同じですね。新興宗教も、だいたいどこかから別れて、仏教の理論をパクっているんだから、ほとんど同じ内容といえます。

こうして対立を作り、「左翼を倒せ」といって作ったのが国際勝共連合ってやつですね。この勝共連合が問題で、文鮮明や笹川良一や岸信介や、その他の戦争犯罪人も名前を連ねていた。これに連なるものに、日本のコントロールを任せようと。そのとき、キリスト教を持っているとコントロールしやすい。そして、自分たちの価値観を浸透させて、日本の価値観をなくすことができる。

こういうことがあって、この体制をずっと推し進めていた。

ということだったんですが、もう終わったなと。そのコントロールする時期は終わったということを、今の統一教会問題は指摘している。

２０２５年の日本滅亡も、これを考慮しての話ですね。

錬堂　そうなんだ。

内海　安倍晋三もそうだけど、思いっきりアメリカの生け贄にされた。統一教会もそうだけど、アメリカに売られた。見捨てられた。もっというと、売ったのは自民党だと私は思っています。

だから、これからの世界は共産主義が勝つんだ、そういう世界に全部をしていくんだと。民主主義なんかダサいという感じに持っていかなきゃいけないんで。そのためには、保守系の考えは邪魔なんですよ。

宗教観というものは邪魔になるので、「全部ヤバい」という感じに持っていかなきゃならない。それの最初が統一教会です。オウム真理教だって、そういうところありますからね。

統一教会も、信者から金を巻き上げて、ろくでもないことをやってますけど、「そういうところだけヤバい」としておくと、カモフラージュできますよね。政府がやってることもカモフラージュできます。そういう意図もあると思いますよ。財閥や多国籍企業は、そういうことをやっている。

メディアがやってることなんて、統一教会は目じゃないぐらいひどいもんね。「あいつらのせいだ」「あいつらが悪い」「頭がおかしい」といっておけば、「自分たちはすごく頭がいい」みたいにいえるから。そうすると、敵を作って、誘導できる。そういうところもあると思います。

安倍晋三と伊藤博文暗殺事件の類似点

内海　暗殺の前日に、安倍晋三の街宣先が変わった。長野でやる予定だったのに、応援者がスキャンダルを起こして奈良に変わったわけでしょ。そんな情報を、なんで半分引きこもりみたいな山上容疑者が知っていたのか、不思議なくらいです。

それで、誰も守っていない、セキュリティがちゃんとしてない。みんな同じ方向を向いて、「なんで逆を向かないの？」みたいな。全方位で見たらいいじゃない。

本物のSPは1人だけで、あとは警察官だけで応援を頼まなかったみたいだけど。後ろを見ないし、守る気ゼロやなみたいな。とにかく、おかしいことだらけですよね。

犯人は、安倍晋三、あるいは統一教会を恨んでやっただけかもしれないけど、それをどう利用するかを、すべて考えてやった結果だと思う。

少なくとも、解剖学的には、あの死体検案書はおかしい。傷口と傷の関係もおかしいし、弾丸を見つけられないというのは医者失格ですよ。絶対見つかりますから。弾丸がないとかありえない。

ほかにもいっぱいありますが、理論的にはおかしいことだらけです。医学的には全く理にかなってない。そこから先はよくわかりません。

ビルからヒットマンが射撃したなんていってる人もいますが、そういうのはあまり信用しないようにしています。なんか秘密があるんでしょうね。けっきょく、ミステリーのままで終わると思います。捜査する気も全然ないしね。

国葬なんかも戦争前みたいで、なんか殉教者みたいな。

安倍晋三という人は、右翼の筆頭みたいなもので、アメリカの犬だったというのと、日本万歳、神道にはまって、「日本の憲法を作ろう」といっていたような改憲論者です。

司会　山口県出身者には、総理になった人が多いですね。

内海　山口県の田布施町に行ったら、もう宗教法人のでっかいビルがバーっとたっていて、それだけでも「なんでこの山口の田舎に、こんなでかいのが」なんて思いますけど。

やっぱり、長州の問題はでかいと思いますね。

明治維新から始まって、この地域の人間が政治的な権力を持っていったっていうことが、非常に意味があると思う。あの人たち、みんなアメリカ、ヨーロッパに洗脳された筆頭みたいな人ですから。

それと伊藤博文が、安倍晋三と全く同じ殺され方をしていますね。それ自体が、完全にコピーみたいなもんで。オマージュみたいな。

伊藤博文は、1909年に清のハルビン駅（現中華人民共和国黒龍江省）で、安重根《あんじゅうこん》に撃たれたことになっている。でも、「安重根が撃ったんじゃない」という本はたくさん出ている。

伊藤博文は、安重根のいた場所とは違う方向からも撃たれていると。安重根は下から撃ったといっているんだけど、全然違う。

安重根が撃ったのは間違いないんですよ。でも、伊藤に付き添っていた貴族院の議員（室田義文）が、「あいつが（伊藤を）撃ったんじゃない」といっているくらい有名な話です。

総理大臣経験者の伊藤博文は、ロシアのココシェフ氏に会いに行ったときに、ハルビンで韓国人に、３発の銃弾を撃たれた。で、安重根の銃と、体内の弾丸が違う。

全部、安倍と同じです。

安倍晋三は、ロシアとのパイプを結んでくれると、政界でも期待されていたんですよ。岸田は、思いっきりバイデンの子分みたいなところがあって、それプラス中国にも媚びを売っている。

で、ロシアのサハリンのガスパイプラインが一部止まっているんですが、岸田が「プーチンクソだ」と思いっきり報道でいっていますから、そりゃ止められるでしょうね。

ウクライナとプーチンの紛争は、そんな単純なものではありませんが。

そのロシアは、入国禁止リストというのを、世界に公開しました。岸田はもちろん載っていますが、安倍晋三は載っていないんですよ。

もともと、安倍晋三は世界に貢ぎまくってきましたから、顔は広い。政界としては、困ったときの安倍晋三と、期待していたところはあったんだけど。

それが、統一教会の関係で、撃たれた。統一教会は、韓国の宗教でしょう。ロシアとの関係もありますし、伊藤博文がやられたのと、全部一緒ですから。

これはちょっと、偶然じゃ片づけられないな、っていうぐらい一致しすぎ。なので、わざとだと思いますね。

伊藤博文は、総理大臣をやめてから、韓国統監府の統監になっていますから、ある種老害扱いというところもあったかもしれませんね。

それぐらい、いろいろ可能性はありますが、一致しすぎという感じです。

錬堂　そうなんだ。

内海　これ自体が、その先を暗示している、予言っぽく暗示しているともいえます。

伊藤博文がやられてから、けっきょくのところ戦争になりましたから。日本もこれから、戦争が始まるかもしれません。

台湾有事は避けられない？

司会　タモリが「２０２３年は新しい戦前になるのでは？」といいました。

内海　どこでやるかわかりませんね。一番、可能性が高いのは絶対台湾ですから。台湾有事というのは、もう本当にいわれていますからね。

もう、全部、日本が改憲されたりとか、国防軍になったり、安保の条約もありますから。これ、改憲されたら、台湾にアメリカが協力するけど、日本はそれ以上に協力しなければならなくなる。

実際には、自衛隊が一番影響があると思いますよ。中国軍と戦わなくちゃならない。尖閣諸島とかもそう。軍需産業としては、日本と中国がやってくれるのが一番いいんですよ。どんどん人が死ぬし。

アメリカ軍と日本軍が、中国と闘ってくれるのが最高。そこに北朝鮮と韓国が絡んだらもっと最高。超富裕層にしてみれば、アメリカ軍は奴隷だから。アメリカ軍はこき使われているだけの存在です。

そういう構図だから、単に「中国が攻めてくる」みたいな話をいっているのは、浅はかすぎますね、という話をしてるんですよね。

アフガニスタンとか、イラクの戦争のときもそうだったけれど、アメリカ軍の兵士が心の病気になって。YouTubeがはやり出したころには、アメリカ軍の兵士が告白しまくって、「アメリカの一番の敵はアメリカだ」なんて話はいっぱい出ましたよね。それと一緒なんですよ。

トランプが戦争をやめちゃったから、バイデンは新しい戦争を探している感じですよね。トランプはビジネスマンですから。戦争をやめたことは彼の功績だと思う。悪いこともいっぱいしたけど。

司会　戦争をやっていないと、まずい人たちがいるということでしょうか。

内海　そうですね。ウクライナも同じです。ウクライナとEUと、プーチンが戦争をしている。（超富裕層は）めっちゃ最高だといっていますよ。

プーチンは、戦略や情報戦に負けた感じがしますよね。挑発に負けたっていうか。日本が踊らされて、真珠湾攻撃とか、アメリカに勝てるわけがないのに戦争をしかけたのと一緒かな。

もちろん、ロシアはでかいし、強いんですけど。泥沼になっているのは、そういうとこがある。でも最近、ニュースも出なくなってきましたね。

みんな、興味がなくなってる。最初だけ。口だけ。

例えば、ウクライナ大統領もユダヤ系の人ですから、傀儡の手先の筆頭みたいなやつです。でも、勝てないのはわかっていると思いますけどね。

だから、どこかで折り合いをつけないと。

ロシアは、本来の目的を達成している。占領した親ロシアの自治区的なところがありますが、そこの住民投票はもう全部終わっています。そこに助けてくれっていわれて、ロシアが派兵した形になっていますから。ロシアはクリミア半島を取ったから、地政学的にも、国の欲望としても目的を達成しています。もう、終わらせるしかないんですけどね。

でもウクライナは終わらせたくない。国土を取られたというのがあるから。

司会　次は日本でしょうか？

内海　ロシアの知り合いも同意見でしたが、**ロシアの次は日本**ですね。ロシアは120％そういう認識。次は日本というか、尖閣諸島や台湾と中国。東アジアといったほうがいいかもしれません。

中国は、実際に権力を強めてきているし。ただ、誰が中国に指令を出しているのかがよくわからない。中国は、もともと中華思想の国だから、そんな簡単にヨーロッパとかの財閥のいうことを聞きたくなさそうに見えるんで。そこのパワーバランスが、よくわからないんですけれど。

確実にいえるのは、中国への支配を強化したいという金融資本の思惑があって、ここに問題を起こしたいわけです。

司会　その支配層というのが、中国を動かすのでしょうか？

内海　それが、僕にもちょっとわからない。習近平とか政権の周りもそうなんですけど、中国という国だけではお金は回らないと思うんですよね。どこかが支援したと思うんですけど。投資したり、支援したり。

今回の新型コロナも、中国から発生しましたけど、思いっきりアメリカは投資していますからね。新型コロナワクチンの研究開発で、中国の会社に投資していますから。酸化グラフェンとか、すごく通じている感じがある。

このくらいだと資金の動きは見えますが、これが戦争とか紛争のレベルになると、僕のレベルではわからなくなります。

でも、そういう流れに持っていきたいというのは間違いないですね。ほかに、紛争の火種があまりないんですよね。あとはインドと中国くらいかな。インドも伸びていますから、欧米人としてはつぶしておきたい国ですからね。

錬堂　人口も、２０２３年には世界一になるらしいね。

内海　インドが中国と戦争してくれたら、超富裕層としては最高なんだけど。ただ、中国とインドの国境には、あまり大きな意味はないんですよね。やっぱり太平洋側というか、日本海側っていうか、東南アジア側のほうが絶対にでかい。都市も馬鹿でかいのは全部こっちにあるし。

それと、昔、海上自衛隊で潜水艦に乗っていた錬堂さんは、よくわかっていると思うけど、自衛隊はめちゃくちゃ強いですよね。世界で一番強いかもしれないです。アメリカ軍にはかなわないかもしれないけど、軍隊としては強いと思います。中国とは戦えると思うけど、それだから困るねということがあります。泥沼になるんじゃないかといわれています。

錬堂　戦わない未来はないのかな？

内海　それがあるかどうかは、国民が日本の支配構造とか、政治問題への関心をちゃんと持って、政治家をちゃんと選べるかどうかっていうのが、まず第一歩と思いますね。

基本的には、中国がどんどん日本に入ってきて、どんどんやりたい放題やるようになります。土地などを買って、権益を持つようになって、日本が日本じゃなくなっていったときが問題です。

日本人は、1億2000万人います。いろいろルーツはあれど。その人たちが、そんな状態になったら、みんな「はあ？　ふざけんなボケ」「こいつら全部追い出せ」となり、当然そういった恨みつらみも大きくなるので、これは対立の構造ができていきますよね。

こういう状態で、どこかで火がついたら、なかなか止まらない。「もともと仲がよかったのに、急になんでそうなるの」という風潮だったら、戦争の気運も高まらないと思いますが、そういう土壌はないですから。だから、止まらないでしょうね。
それをメディアが煽っている。

錬堂　戦ったあとはどうなると思う？

内海　アメリカはそんなに協力してくれないと思うし、日本は2025年に向かって弱っていっているので、今、中国と戦ったら負けると思いますね。だから、チベットやウイグルのさらに一歩先まで、ひどい状態になるかもしれません。

また、1945年のような新しい戦後がやってくるかもしれません。本土までは戦火は広がらないと思いますが。基本的に、現代の戦争は、紛争で終わることがほとんどなので。
ただ、台湾と尖閣諸島や沖縄が戦場になるのは、じゅうぶんあるんじゃないでしょうか。

やっぱり、戦わない未来はないのか？

錬堂　話は戻るけど、さっきの戦わない未来は、国民しだいということ？

内海　そうですね。

錬堂　そうすると、まだ希望はある。

内海　いや、僕も戦争はやらないほうがいいんですけど、それももう期待できないと思っていますす。だから、日本のお金持ちは「日本は終わる」と思っている。もともと終わっていたけど、本当に終わると思っている。もう２０１１年以降は、みんな移住先・退避先を探してますからね。

僕もその延長でハワイに行ったのもあります。ハワイはそれだけの目的じゃなくて、一番は子どもの教育のために行ったんですけど。

錬堂　そうだったんだ。

内海　でも、コロナでそれも終わっちゃった。コロナは、その思惑も封じ込める意味あいもあったような気がします。日本のお金が海外になかなか持っていけなくなりましたし。非常に厳しいんですよ。向こうに（お金を）送金できない。銀行もすごく厳しかったですよ。

今や、日本人が外国に行ったって、そんないい扱いされないし。

昔はお金持っていたから、「日本人カモーン」みたいな感じだったけれども。

錬堂　それは、いつから変わったの？

内海　２０１１年から変わったと思いますが、それが顕在化してきたのが２０１５年から１７年辺りですよ。日本の中にあるお金を、全部外国にばらまいてみたいな。全部、超富裕層からの指令ですから。郵政民営化から始まって、全部。

小泉も安倍も、本当に売国奴筆頭だった。今は、岸田がばらまきをやっている。それでもまだ貯金があるから、日本人はすごいけれども。

司会　それでも政府は外国に支援をしています。

内海　国が際限なく借金するのは問題なんですが、本来は国と国民は分けて考えるべき。国民はまだまだ資産を持っていますから。本来は、国が借金しているのを国民が払う必要はないわけですよ。国民が国に貸してあげているだけなんだけど、勝手にメディアが国の借金を国民の借金みたいにいっているだけで、あんなん肩代わりしてあげる必要はないんですよ。

でも、それも日本人が政治を勉強しないから、わからない感じですね。だから、「勝手に外にばらまかれても困るねん」って感じだけど。国は、自分たちのお金じゃないから実感がないんですよ。国内にお金を使わないし。

司会　防衛費を2倍にふやすといいます。

内海　もう、戦争に向かってまっしぐら。

改憲も、緊急事態条項がすぐに出ます。しかも、増税して賄う。増税するんです。

消費税を上げたって、何にも使ってない。医療に使うっていっていたくせに、医療になんて使ってない。

社会保障に使ってないわけです。

司会 コロナの初めのころは、お金をばらまいていましたが。

内海 コロナで、一部の病院は儲かっていたみたいだけど、僕らのところには関係なかった。ちょっとだけ補助金みたいなやつが出ますけど。

けっきょく、コロナ病棟を持っているところとかにガッツリお金が流れてますから。

コロナの問題は、僕とダニエル社長の対談本『コロナと世界戦略』（ヒカルランド）を参考にしていただければと思います。

ただ「日本はすごい」というだけでは…

司会 「日本という国はあっても、中身が違う」という話がありましたが、その中身はどんな感じなのでしょうか？

内海　２０２５年以降は、**日本人の思想は、もうどっかに飛んでっちゃう**と思うんですよ。日本人の思想はなくなる。

今の日本人の無思想な精神性は、根っこからすり込まれているという感じです。そのときになって考えても遅い。教育段階の問題もありますが、いわゆるサブリミナル効果みたいにすり込まれている。その風潮は、偶像崇拝とかと一緒ですかね。いわゆるシンボリズムの問題っていっているんですけど。

日本人は、無思想であることは自然であるとか、いいことだとして、潜在意識的に受入れています。

でも、先住民たちはそうは思っていません。日本人は、先住民の血が混ざっているから、微妙なところもありますが、でももう終わったなという感じはあります。でも、まだゼロではないので。法律のほうにはもう期待できないので、日本人の思想に淡い期待をかけているところです。

本当の意味での日本人の思想は、保守思想とは違いますから、これを一緒にされたら困るというのは強くいいたいかな。

錬堂　よく、ＳＮＳなんかだと、日本すごい、日本大好きみたいなことがいわれているね。

内海　ただ「すごい」とだけいってもしかたない。それって、自分はコンプレックスの塊だから、日本すごいといいたいだけのやつばっか。日本賛美論というやつです。だから、愛国系は嫌いなんですよ。

僕の仕事は、とにかく闇を見るというか、人間の裏とか闇とか、負の部分を見るもの。何かトラブルを起こした人がくるわけ。ほかの病院でトラブルを起こしたとか、病院で余計に悪くなったとか、そんな人ばっかりくるわけです。

そんななかで、日本はすごいすごいといわれて、何がすごいって聞いたら、「医療がすごい」とか「ＩＴがすごい」とか「歴史がすごい」とかいわれますけど、全部すごくないじゃん、みたいな話です。賛美している暇があったら、現実を見ろよ、という感じです。

自分に誇れるものがないと、そういうところにすがるしかないというのはあると思います。

司会　でも、そういう人は、そんなことをいわれたらキレちゃうのではないでしょうか？

内海　そうですね、逆ギレするのがオチです。それはつまり、コンプレックスの塊なんだろ、みたいなことです。そんなことで、自尊心を満たそうと考えてること自体が浅はかですね。

司会　先住民がいるのに、単一民族だといいます。

内海　「世界で一番、王朝が長い」なんて、ウソつくなお前、という感じです。世界で一番長くないっていう理由は、大麻の本（『歴史の真相と大麻の正体』ヒカルランド）に書いてあります。

天皇家のルーツとか。北朝南朝問題とか。

北朝と南朝が変わるということは、隋が唐に移ったみたいな感じだからね。あの辺も、王朝間で血がつながっている例は、いっぱいあります。でも日本の理屈でいうと、血がつながっていれば、王朝はつながっていることにしなきゃならない。

でも中国では、「宋」という王朝があれば、それは何年から何年までって考える。それと同じ考え方を適用したら、日本だって2683年なんて、続いていないってことです。

そもそも、日本は、というか人間は、根源的な奴隷思想があるんだと思う。だから、宇宙人か何かに作られたんじゃないか、という考え方も出てくる。宇宙人が最初から、奴隷根性を遺伝子ですり込んでいるイメージです。そうじゃないとつじつまが合わないというか。

世界中の王族なんて、歴史を見たらひどいことしかしてませんよ。

錬堂　そうなんだ。

内海　人間が理想郷を作るのは無理なので、どんなシステムでもいいんですよ。僕は、民主主義で全然いいと思っています。なんかグダグダとやりながら、理想とはほど遠い中で生活している、この民主主義でいいと。

「王様が仕切りまくっていて、民衆はいい王様が出てくるのを期待しているだけで、大多数を占める悪い王様に苦しめられ続ける世界」よりは、民主主義はよっぽどいいと思いますよ。

民主主義というのは、妥協とか、最悪の排除という、さっきいった僕の考え方と一緒なんで。だから僕は、せめて民主主義の原則ぐらいは守ってほしいわ、ということでいっているだけなんだ。

だから、もう直接民主制に戻すしかないですよね。そんな難しい話じゃない。現在の技術を使えば、簡単にできます。間接民主制にしているってこと自体が、奴隷化を促進しているところはあります。

司会　でも、今の若い人は自民党に入れるっていいますね。搾取されているはずなんですが。

内海　そうですね。教育の賜物ですよね。

少なくとも我が家はそこだけはしっかりしているから、テレビに岸田総理が出てくると、みんなで悪口をいっています（笑）。

この、日本人の無思想性の問題については、第2部でも話したいと思います。

第2部
世界が滅ぶ前に私たちは何ができるのか?

第2部では、杉本錬堂さんがマヤをはじめとする先住民の長老から託された「預言」について、内海聡さんが聞いていきます。これから世界はどうなるのか、私たちはどうしたらいいのか…。

そして、今の日本人に最も欠けているものにも言及されます。

地球は何度も滅亡している？

内海　第2部は、プロローグの続きで、先住民からの預言についての話になります。錬堂さんが長老たちから聞いた話を、整理してお話しいただきます。

錬堂　俺が先住民の長老から聞いた話では、地球は何度も絶滅している。その度に、我々は宇宙に逃げだしてきた。

プレアデス星団（おうし座の散開星団。すばるともいう）に、船に乗って戻るというのが、俺が聞いてきた話。

1回目はニュージーランドのワイタハ族に伝わる預言。

レムリア（インド洋に存在したとされる大陸）の時代で、シリウス（太陽の次に明るい恒星で地球から近い）から来ているといわれている。

内海　レムリアとは？

錬堂　水の一族。そう呼ばれているんだよね。１回目、２回目はレムリアの時代。ムーの時代なんだよね。多分、ムー大陸があった、この時代。

ニュージーランドの先住民のワイタハ族もマオリ族も、やはり水の一族。龍蛇族っていうので、龍のいい伝えがある。このころの人たちは、本当に手に水かきの皮膜を持っているという話だね。

内海　錬堂さんも、水かきを持っている…。

錬堂　そうです。

これは俺の勝手なこじつけかもしれないけど、そのころに仏教界では毘婆尸仏（びばしぶつ）っていう仏様が、「人の寿命が8万4千年のころ」って説いている。
これは、多分、人が住める状態のことをいっているんじゃないかなと、勝手に思い込んでいるんだけど。
そして、「ブラックホールを3つ抜けて入ってきた」といわれてるんだよね。

内海　今いわれているブラックホールは、すべてのものを飲み込んで、押しつぶしてって…。

錬堂　でも、それって人間の判断だよね。今の人たちの判断で、本当は誰もブラックホールを見たことがない。頭で考えて、「そうじゃないの？」と思っているだけのこと。

内海　誰も見たことはない。

錬堂　ないね。どうも、とんでもないスピードで入ってくるらしいの。
それが1回目っていわれている。ムーの時代。

内海　ムーの時代は2回あったんですよね。

人類は何度もやってきている（１・２回目）

回数	北米・南米・環太平洋	アジア
1回目 レムリア	シリウスから来ている 水の一族（水精） **ニュージーランドのワイタハ族の預言** 水の世界から始まり、 現代は、また水の世界に 戻る準備をしている	**毘婆尸仏** びばしぶつ ８万４千年続いた
	ムー大陸の時代 **手に水かきの皮膜**を持っている	**如来様は手に水かきの皮膜**を 持っている
2回目 レムリア	シリウスから、 金星とブラックホールの 間を抜けてきた **シューマッシュ族** 水の一族（水精） **ホピ族・シューマッシュ族を含む** **北米のネイティブの預言** **手に水かきの皮膜**を 持っている	**尸棄仏** しきぶつ ７万年続いた

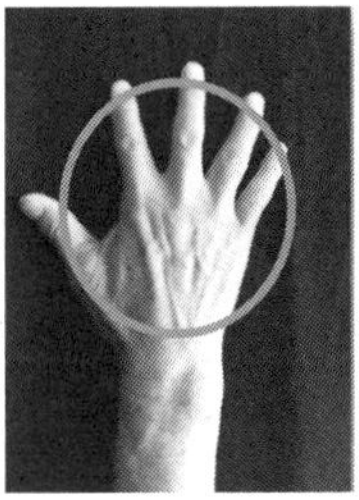

錬堂　2回目も、シューマッシュ族（アメリカの先住民。チュマシュ族とも）がいっているように、シリウスから金星の縁を通って、ブラックホールを抜けてきた。カラマヤ、エジプト、メソポタミア文明の時代。

この2回は、俗にいう水の一族なんだよね。

仏教界では、多分、尸棄仏（しきぶつ）に当たるのかなって思う。

内海　これは、いつごろの話だといわれているんですか？

錬堂　この2回は、人類が一番最初にこの星に入ってきたときのことを語っているだけで、25万年前なのか、75万年前なのか、それはわからない。

内海　3回目は？

錬堂　次に入ってきたのは、マヤの長老の話では1回目のことになる。人類の中では3回目になるんだけど。マヤチェス、カンボジア、アンコールワットの時代。

内海　これは、いろんな長老の預言を、錬堂さんがまとめてしゃべっているんですよね？

錬堂　はい。マヤの1回目はマヤアトティスといって、アトランティスの時代だと。アジアでは毘舎浮仏（びしゃふぶつ）。人の寿命が6万年といわれていた時代。

4回目に来たのが、マヤの2回目になる。

カラマヤという。全部、マヤってつけるんだよね。それが、エジプト、メソポタミアの時代。アジアでは倶留孫仏（くるそんぶつ）。人の寿命は4万年のころといわれている。

人類の5回目、マヤの3回目はマヤチェス。カンボジア、アンコールワットの時代といわれている。アジアでは、倶那含牟尼仏（くなごんむにぶつ）。このときは、人の寿命は3万年。

人類の6回目、マヤの4回目は、ナガマヤっていう。インドのタントラ文明なんだと思う。仏教の世界では迦葉仏（かしょうぶつ）で、人の寿命は2万年のころ。

最後、今の時代、マヤの5回目が、釈迦牟尼仏（しゃかむにぶつ）の時代。マヤの長老によると、5番目の終息で、しばらく暗闇になるという。釈迦が生まれてから2500年くらいなので、これまでのいいかたでいうと、人の寿命が2500年のころ。

おもしろいのは、マヤの預言では、「5番目の太陽の終息で、しばらくの間、暗闇になる」っていっていること。仏教界では、釈迦の世界が終わったら弥勒菩薩の世界。

マヤの預言と仏教の不思議な符合

内海　そうか、56億7000万年後……。

錬堂　56億7000万年の間、暗闇を見続けて、次の如来を待って、現れるというのが弥勒菩薩の話でしょ。これがおもしろいんだよね。

マヤの預言では、5番目の太陽の終息で、しばらくの間、暗闇になる。

仏教界では、釈迦牟尼の時代のあと、56億7000万年の間、暗闇を見続けて、次の如来を待つ。

人類は何度もやってきている
（3〜7 回目）

回数	北米・南米・環太平洋	アジア
3回目	**マヤの１回目** **石の世界の始まり** プレアデス星団から 地球に来た マヤアトティス （アトランティス）	**毘舎浮仏** びしゃふぶつ ６万年
4回目	**マヤの２回目** カラマヤ（エジプト）	**倶留孫仏** くるそんぶつ ４万年
5回目	**マヤの３回目** マヤチェス（カンボジア）	**倶那含牟尼仏** くなごんむにぶつ ３万年
6回目	**マヤの４回目** ナガマヤ（インド）	**迦葉仏** かしょうぶつ ２万年
7回目	**マヤの５回目**	**釈迦牟尼仏・釈迦如来** しゃかむにぶつ・ しゃかにょらい （お釈迦様）
	５番目の太陽の終息で しばらくの間 暗闇となる	弥勒の世界 56 億７千万年の間 暗闇を見続けて 次の如来を待つ

四奉請《しぶじょう》

奉請弥陀世尊入道場《ぶじょうみだせそんにゅうどうじょう》
奉請釈迦牟尼仏入道場《ぶじょうしゃかむにぶつにゅうどうじょう》
奉請彌勒佛入道場《ぶじょうみろくぶつにゅうどうじょう》
奉請十方如来入道場《ぶじょうじっぽうにょらいにゅうどうじょう》

内海　まさに、符合していますね。

錬堂　そう。

浄土宗にある四奉請《しぶじょう》という教えの1つに、「奉請弥陀世尊入道場《ぶじょうみだせそんにゅうどうじょう》」というのがある。弥陀世尊というのは、前の仏の人たちという意味。次の、「奉請釈迦牟尼仏入道場《ぶじょうしゃかむにぶつにゅうどうじょう》」というのは、釈迦が入ってきたということ。

その次は「奉請彌勒佛入道場《ぶじょうみろくぶつにゅうどうじょう》」でしょう。暗闇を見続ける。

そして、4つ目の「奉請十方如来入道場《ぶじょうじっぽうにょらいにゅうどうじょう》」というのがすごくおもしろくて。十方如来というのは、太陽系の星のことを言っているんじゃないかと思うわけ。月を含めて。

それが来るから安心しろよと、説いているような感じがする。信憑性はないよ。

でも、この四奉請はなんだろうと思ったの。

これらを合わせ考えると、本当にすべてのものが1回リセットされるんだな、と。

内海　さっきのマヤの話だと、3回も4回もくるじゃないですか。それらは、続いているんじゃなくて、1回ずつ終わっているんですか？

錬堂　続いていない。切れてる。

だってね、アリゾナ州のセドナに行くと、6億年前の地層がある。そこには、1500～1600回、この星が絶滅している痕跡が残っているんだ。

内海　それは、どのようにわかるんですか？

錬堂　地層が全く変わっちゃうんだよ。

内海　簡単に絶滅するんですね。

錬堂　簡単だよ。俺の所見だと、多分、人類は4500年前に1回絶滅しているんだと思う。NASAが、一度、ポンといっちゃったことがあるんだよね。4500年くらい前に、メキシコ湾の沖に四国ぐらいの大きさの彗星が落っこちて、人類は絶滅したと発表したことがあったんだよ。今はその記録は残っていないんだけど。だからそれ以前の生物や植物は、海のシーラカンスくらいなもので、陸で生きているものは、何万年前のものはないんだよね。

内海　メキシコ湾には、6600万年前に天体がぶつかって、恐竜を絶滅させたといわれていますが。

錬堂　そんな昔じゃない。4500年くらい前のこと。

そう考えたら、例えばスマホだって、50年前だったら大きな部屋が必要なくらいの性能が、小さい箱に詰まっている。こういうのが発展しているのは、もう本当に宇宙に行く準備じゃないかなって思ったりもする。

マヤの長老も含めて、最高神官というのは、次の世代に継承するわけだ。でもマヤの13代目の最高神官のドン・アルハンドラは、「もう私で終わりだ」っていっているんだよね。

内海　いま、おいくつくらいなんですか。

錬堂　もう、90歳を超えていると思う。

内海　普通は継いでいくものなんですよね。

錬堂　ダライ・ラマだって、もう継承しないでしょ。

内海　あれは、政治的な意味もあるようですが。

錬堂　法華経の中では、正法、像法、末法で、末法の次はない。

内海　日本では、１０５２年から末法に入ったといいますね。

錬堂　もう、仏教にはその次の教えはない。

◉先住民の預言を内海流に解釈すると…

錬堂　先住民の預言では、人類は４５００年前に一度滅びているというんだけど、それについてはどう思う？

内海　私の解釈をお話ししましょうか。解釈だから、根拠はありませんが…。預言では、シリウスとかプレアデス星から来たみたいな話が出てきますし、５～７回ぐらいやってきたといいます。そのときも、ワープホールだかブラックホールみたいなものを通ってきたと。

僕はそれが本当か知りません。そんな感覚はないので。

これはスピリチュアルの世界でいわれている話なんだけど、もしそういうのがあるとしたら、何というか、魂を送り込まれてきたという感覚で取るか、もしくは、宇宙人が人間をなんかしらの理由で作ったみたいな。これをインテリジェントデザイン説（ＩＤ説）というんですが、そういう感覚とか考え方で取るか、どちらかかなと思っています。

僕は本当に、創造論でいう一神教の神が世界を作ったというのも、「どこに一神教の神がおるんじゃ」て感じだし、進化論は全くのデタラメだから信用してないしというので、インテリジェントデザイン論者だということは、よくいっているわけですが。

先住民の世界は、戦争とか平和とかは何もなく、肉体は強靭で、地球を壊さない生物だったわけですよ。

今、人間は地球のガンみたいな存在だけど。

それで、４５００年くらい前に何があったかという話になると、ちょっと縄文人の話を横に置いとけば、一応、世界最古といわれる４大文明ができた前後ですよね。要するに、文明ができ、王族制ができ、農耕ができ、所有制ができ、宗教もできて、貴族と奴隷制ができてという。それは４５００年から５０００年ぐらい前ですか。メソポタミアとかエジプトとか全部そうですけど。

人類の歴史は、正史では７００万年くらい前からあるはずですが、なんでそれを捨てて、こんなに急に４５００年から５０００年ぐらい前に、こんなエラそうに王様みたいのが出てきて、急に貴族と奴隷制みたいな感じのことを推し進めて止まらなくなったのか。

先住民は、あんなに平和な感じだったのに。
火を覚えただけでは説明できない。先住民だって、火は使っていますし。

だから、ちょっとスピっぽい考えかもしれませんが、魂を送り込まれたというのであれば、4500年から5000年ぐらい前から、違うイメージの魂が送り込まれるようになったんだと。これは、先住民の解釈からしたら、いっぺん、そういう昔からの人間が滅んだという解釈ができるでしょうね。

考え方が、全く違う人種になりましたから。いわゆる文明を持ち、文化を用いて、どんどん侵略をしていく。際限なく。ウイルスみたいになっていったわけですよ。それは4500年から5000年ぐらい前からです。

それを正当化するようになっていった。そういう精神性は、先住民にはなかったはずです。そもそも、先住民は人間のルーツです。だから、人間はもともとは戦いを好む精神性を持っていなかったはずなのに、なぜ侵略をするようになっていったのか、という話です。だから、4500年くらい前に滅んだというのは、そういう意味では解釈として成り立ちますね。

もう一つのＩＤ説でいっても、同じ理屈です。アニメの世界みたいですが、宇宙人かよくわからんやつが、改造して人を作ったとすれば、それまでは「平和的で、自分たちの奴隷としてうまく使えるかもしれない」と栽培して、「どんな星になるかな」と、様子を見ていたのかもしれません。そういうものから、実験体を変えたと考えれば、同じ話になりますよね。所有、侵略、宗教、絶対神などをベースにした人間を作って、今度はそれを地球に放り込んだ。地球は実験地域だから。

こういうふうに考えたら、それまでの人間は滅んだともいえます。そして、次のステップに進んだというよりは、悪い方向に進んでいるんですけどね。

となると、４５００年前に滅んだという考え方は、成立すると思います。

ですから、先住民としての特殊な考え方や預言があるのかもしれませんが、４５００年前というのは、普通にいい伝えられている現代歴史と通じると思います。少なくとも、そんなスピっぽい話じゃなくても、文明論としてじゅうぶん説明できると思います。

現代人の体つきが変わってきている

錬堂　それと、現代の人たちの体つきが、原種化しているでしょ。もともと、その人が持っている因子がはっきりしているんだよね。だから、例えばシカの系統だったら、シカに近くなっているし、イルカの系統の人は、よりイルカのようになってきた。

内海　それは、前から錬堂さんがいっている…。

錬堂　そう、オリジンオブライフ（ＯＯＬ）っていう、人間の原種の話です。

内海　それは、医学的な裏づけはないけど…。

錬堂　この話は、俺が直感で考えたことだからね。
　例えば、１６０センチ前後の両親から、いきなり１９０センチぐらいで、手足が長くて顔のちっちゃい人たちが生まれている。なんでかはよくわからないけど。

「因子」が出てきちゃうんだよね。両親の因子を飛び越えて。

内海　それは、遺伝とは違う考えですかね。

錬堂　全然違う。でも、それをいうと、誰もが「そうだよね」ってわかるんだよね。だって、１５０センチくらいの人もいれば、１９０センチを超える人もいる。その１９０を超える人が、すごい体のポテンシャルを持っているんだもん。

だってほんの40年前だったら、１９０センチの人は本当に珍しかったでしょう。

内海　大谷翔平君なんて、１９３センチでメジャーリーグで大活躍しています。

錬堂　あんな人、日本にはいなかったよね。

内海　日本人の体格が変わってきたのは、畳からイスの生活になった、食べ物も洋風化したということもいわれていますが。

錬堂　違うよ、違う違う。
歯なんかでも、今の子に多いみたいに、前歯2本が大きいのはいなかったよ。

内海　昔ながらの体型の人もいますけどね。

錬堂　原種化しているというのは、例えば、映画の『スター・ウォーズ』だといろんな動物たち、生き物と一緒に旅している。あんなのも、それを表わしているんじゃないかなと思ったりするんだよね。

おまけに、染色体の話でいえば、正直、そういう時期が近くなっていると思っている。ペットボトル1本分くらいの大きさの宇宙船でいい。

遺伝子の話になってきたんで、本当に俺の考えだと、何十万という動植物の遺伝子が、小さな宇宙船で、何年も旅ができると思う。56億年でも。

いくつも飛ばしちゃえば、いつかはたどり着くようなな。

ノアの方舟みたいに、動植物を乗せられるような大きな船なんて無理だと思っていたんだけど、遺伝子だったらいけるけ。

内海　おもしろい考えですね。

高さ2キロの波がやってくる⁉

錬堂　ホピ族（主にアリゾナ州に住む先住民）は、そのときには**高さ2キロの波がやってくる**といっている。

宇宙の大変革期でしょう。

すごく簡単にいうと、**月が軌道からポンと離れただけ**で、高さ２０００メートルの波なんて、簡単に来ちゃうんだよね。

内海　月は軌道から簡単に外れるようなものなんですか？

錬堂　月と地球と太陽。太陽系って、すごい不思議で。どう考えたって、意識的に何かそういうふうに作られているような感じがしない？

地球の自転がほぼ24時間というのも、これが23時間でも25時間でも温度が40℃くらい違うんでしょ。これって奇跡だと思うんだよね。それと、太陽にあと1万光年近かったら、暑くて住めないでしょう。おまけに、月の引力がなかったら、地球は全部海だったんでしょ。今の大地の7割は海。

内海　月については、私も意見があるので、コラムにまとめました（138ページ参照）。

ところで先住民は、月ができたのはいつごろだと考えているんですか？

錬堂　それはハッキリとはわからないんだけど、1回目にシリウスから地球に来たときは、海ばかりだった。だから、入った人はイルカに姿を変えて、入らなかった人はプレアデスでときを待ったといわれている。

内海　それで、前世はイルカだったっていう人がいるんですね。

錬堂　おもしろい話だよね。本当かなと思う。俺、こういう話って、今、話してるけど、嫌いなんだよね。本当は。

内海　（苦笑）

錬堂　現在、シューマッシュ族なんかは、そういう預言を持った人たちとつながっていない。でも、同じような話をするんだよな。

内海　つながっていないのに……。

錬堂　同じような話。

内海　いろんなところで、そういう現象というか、伝承があると。

錬堂　宇宙から来た人たちは３本指。ブラックホールを３つ抜けてきた。

船（ＳＨＩＰ）で来ている
のが共通している。

もともとはシリウスから来たシリウス星人だけど、人類が復活するサイクルが短くなってきたから、プレアデスで待機するようになった。

ほかにも共通点があった。ブラック、ホワイト、イエロー、ブラウンの人たちがやってきたという話だよ。

内海　ブラウンがいるんですね。

錬堂　ブラウンがいるんだよ。ホピ族のマークもそうだもんな。ニュージーランドのマラエ族の窓にも、４つのマークが書かれている。

これはよく、南十字星といわれるけど、ちょっと違うと思う。

ブラックホールといわれている絵

ニュージーランド
マラエの飾り

アリゾナ
ホピの壁画

共通する３本指

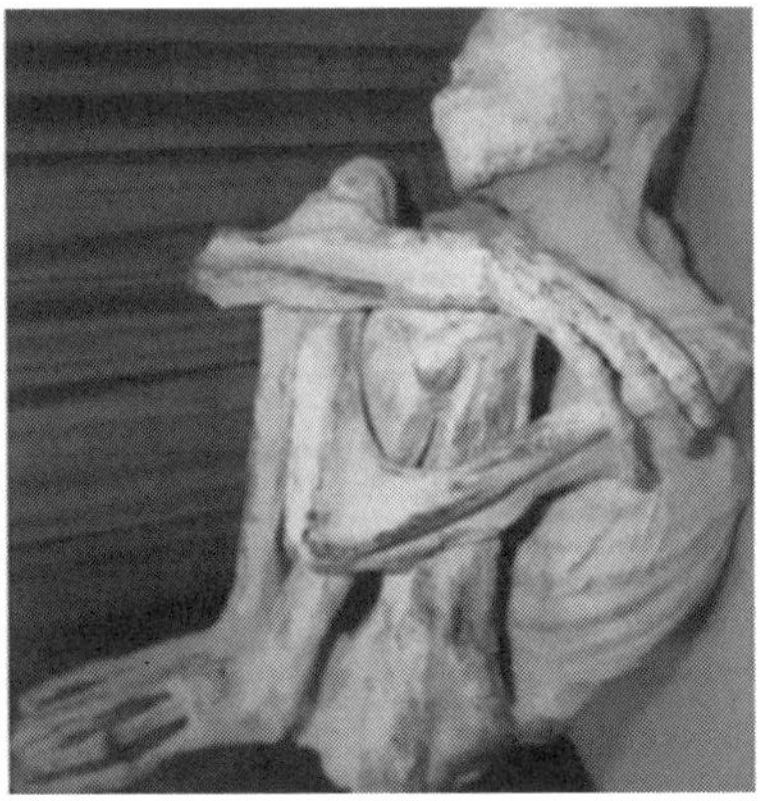

ナスカで発見された
３本指のミイラ

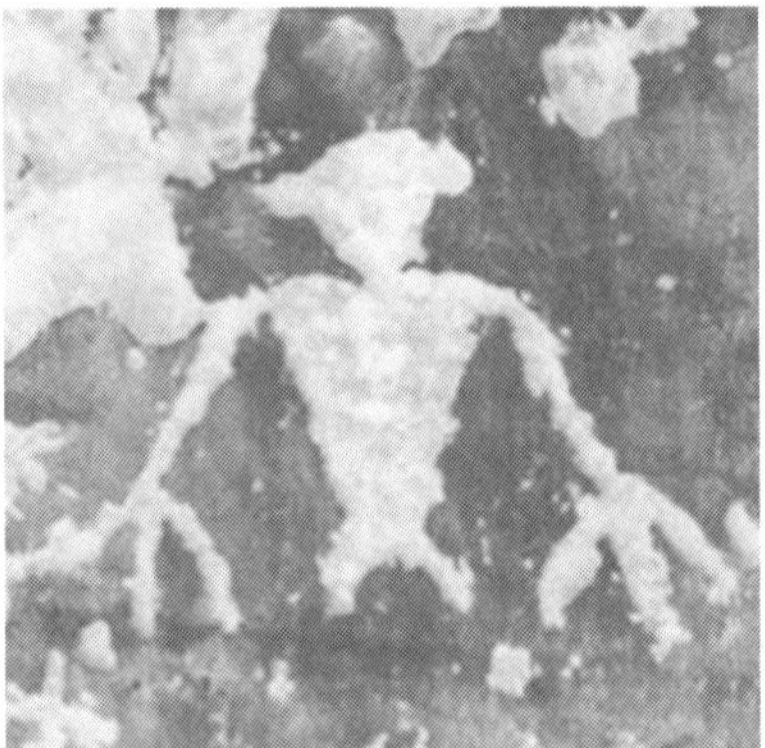

アリゾナ
ホピの壁画

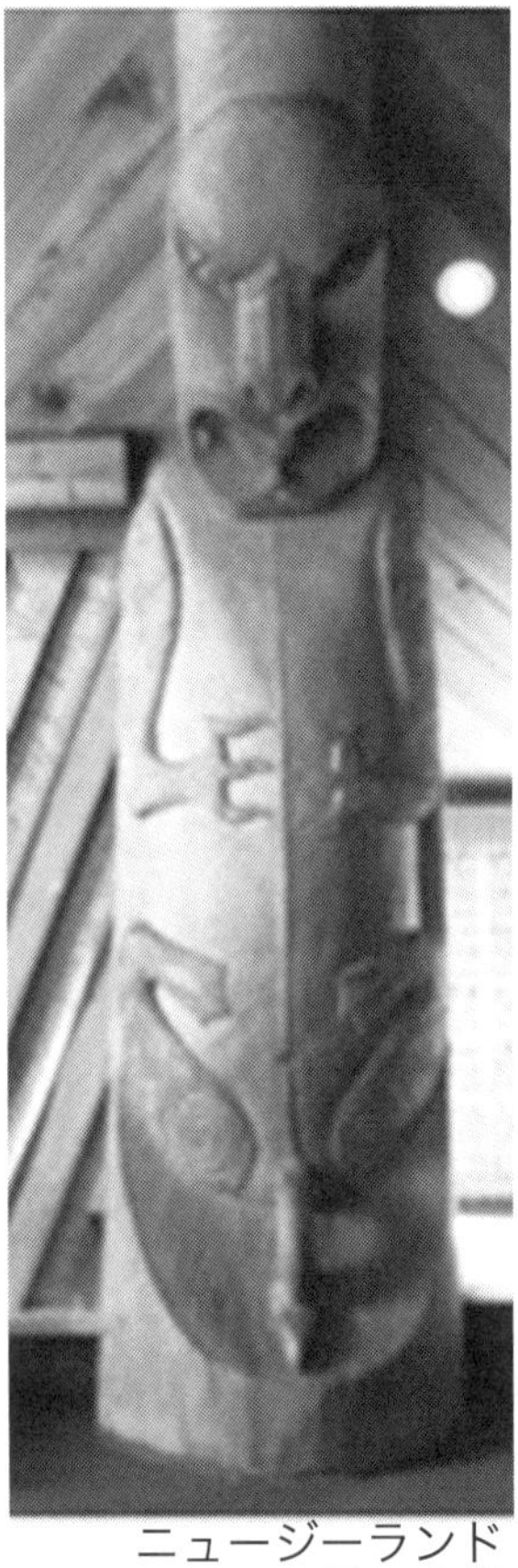

ニュージーランド
マラエの像

SHIPに乗ってきた人たち

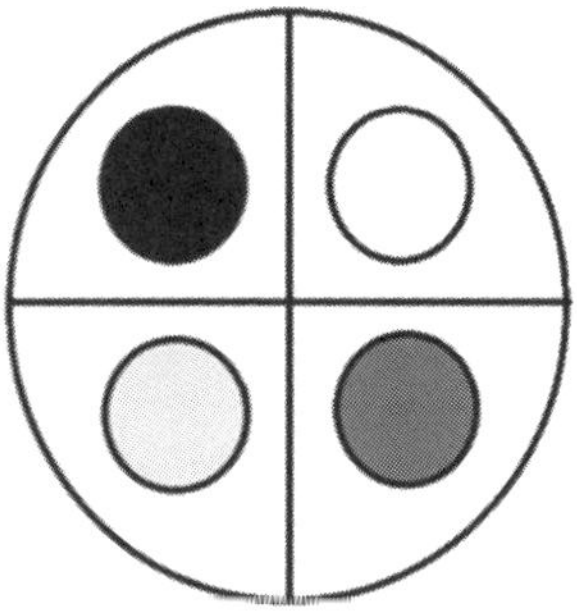

アリゾナ・ホピのマーク
左上からブラック、ホワイト
イエロー、ブラウンで並ぶ

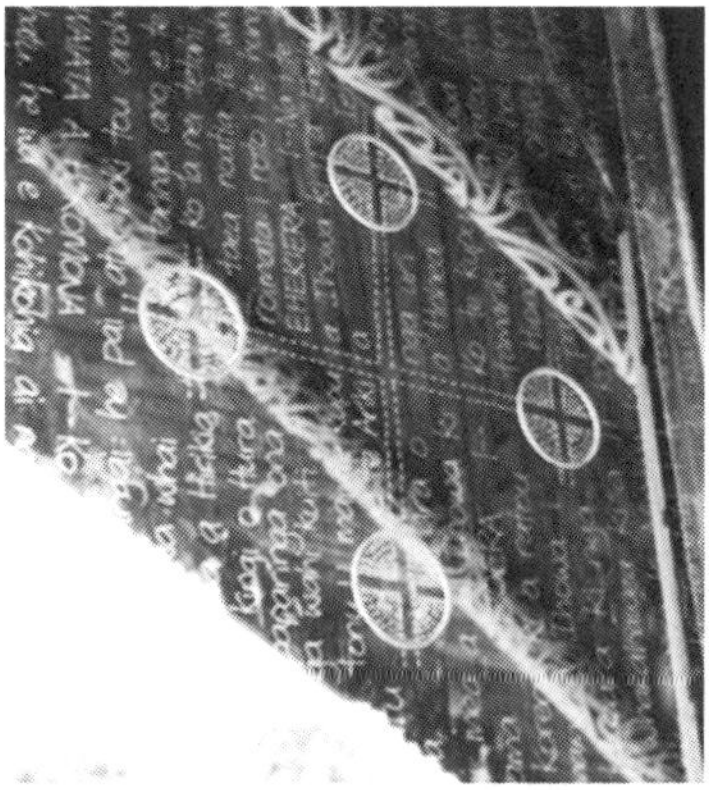

ニュージーランド
マラエの窓に描かれた絵

内海　基本的には伝承というか、口伝なんですよね。

錬堂　今までに会った中で、預言を持っている人たちで**本当に信用できるのは、４人だけ**なんだよね。

　マヤのドン・アルハンドラ長老と、ニュージーランドにいた片腕の男。シューマッシュ族のタタチョ長老。あとは、亡くなってしまったけれど、**ホピ族のジェリー長老。**

　彼らが、「こういう話だったんだ」って教えてくれた。

内海　錬堂さんの話は、こういったかたがたから聞いた話を総合して…。

鍊堂　こうじゃないの、って思っているだけなんで。だから、今年（２０２３年）、世界長老会議を日本で開いて、長老たちを集めて、自分たちでも判断してみよう、っていう話なんで。

内海　いろんな捉え方が出るでしょうね.

高さ2キロの波は本当に来るのか？

内海　ホピ族のジェリー長老が、高さ2キロの波が来るといったそうですが…。

鍊堂　もともとは海だったからね。長老は、「水が大地を取り戻しにやってくる」といっていたんで。２０００メートルの波で。

みんな、大地が隆起したという説をいう。でも、いやいやちょっと待てよ、そんな隆起するほど地殻変動があったのかと思う。それより、なんらかの理由で月が近くに寄って、引力で水が引けたというほうが信憑性があるよね。

だって、もともと太平洋を含めて、海の水の量はそんなに変わらない。それを、隆起してきたからって、それ違うんじゃないって。水が引いてったって話のほうが、早いと思う。だから、モンゴルの奥地に貝塚があるんでしょ。アリゾナの砂漠の中でも、貝が出てくるのはなんでなんだよと思うし。

揃いも揃って、みんながホラ貝を吹くでしょ。

内海　今、海面が上昇しているというのは、水が大地を取り戻そうとしてるのかな？

錬堂　いや、もっととんでもないことになる。海面上昇といったって、2000メートルの津波がくるというのとは、レベルが違うからね。

◉月の正体とは？

内海　実は月の正体が何なのか、トンデモとばかり考えずに調べてみると、おもしろいことがたくさんあります。

ジェイムズ・P・ホーガンは『星を継ぐもの』で、「月は、今や火星と木星の間で小惑星帯となったところにあった星の衛星で、その星が壊れた時にはるかに進んだ生命体がわずかな生き残りと共に地球の惑星とすべく運んで来た」とあります。

日本の古典文献で正史とは認められていない竹内文書では、謎の金属「ヒヒイロカネ」が取り上げられており、日本列島は数十万年前は世界の政治・文化の中心地で、「天之浮《あめのうき》船《ふね》」と呼ばれる飛行艇が存在し、月から人が渡ってきたことが記載されています。

そして昔から「月は天体ではなく宇宙船である」という説はずっと言われており、恐竜の時代は月がなくて、重力も今ほどなかったという説もあります。日本が天之浮船から由来しているといわれるのも、かぐや姫が月に帰っていくのも、何か意味があるかもしれません。

月は陰、ホルモン、生体から性だけでなく、海水の組成にまで影響を与えます。

そもそも月は太陽の大きさの400分の1で、月は太陽と比べて地球に400倍近く、月は1地球日について400キロメートルの速度で自転します。太陽の円周を月の円周で割って100倍すると、地球の円周になります。太陽の直径に対して、地球を109・245個並べることができます。地球の遠日点（太陽から最大に遠ざかった位置）までの距離に、太陽は109．267個入ります。月の円周は、10920・8キロです。

物理学者のアイザック・アシモフは、「想像できるかぎりあり得ない偶然の一致の、最たるもの。月は本来そこにあるべきではないという結論に、我々は到達せざるを得ない。地球のように小さく弱い重力場の惑星に、衛星があることは考えにくい。一般的に惑星が衛星を持つ場合、衛星は惑星よりもっとずっと小さいのが通常である。せいぜい直径30マイルぐらいの、小さな物体にしかならないだろう。だが事実はそうではない。地球には衛星があり、しかも直径2160マイルもある巨大な衛星である。どうして、小さな地球にそんなものが？」と述べています。

そもそも、地球の気候が保たれる理由の一つは、太陽の赤道に対して〝22・5度の傾き〟があるからですが、天文学者によるとこの一因は月が担っているようです。最近はポールシフトによって23・5度に傾いたそうですが、これも月が関係しているのかはわかりません。

だいたい、なぜ月はいつも寸分たがわず同じ方向を向いているのでしょうか？

月も自転しています。「月の自転の周期は約27日で、月の公転の周期も同じ約27日、だから一緒の面を向く」みたいなお子ちゃまの理論で説明できるわけはありません。

けっきょく、私たちは何ができるのか？

内海　時期はわからないけど、世界は滅亡に向かっているとすると、その前に、私たちは何をすればいいのでしょうか？

鍊堂　それについて、俺は長老たちから話を聞いている。長老たちの話が信頼できると思うのは、彼らが皆、「でも、心配してもしょうがないんだよ」っていうから。

例えば、交通事故だって、ここからひょっと道に出たら、車に引かれて死ぬかもしれない。そんなことを心配して生きるか？　生きないだろう、っていうわけ。

例えば、来週、そんな日が来ると決まったとして、その１週間、何かする？　何もしないだろう。

内海　それはそうですね。

錬堂　だから、仏教の教えによく似ているの。目の前で起こっていることに関して、一生懸命生きるだけ。出会った人やもの、すべてを大事にしていく以外、何もないということ。長老たちの話は、皆、こういう結着になる。だから信用している。

内海　いわれてみれば、そうですね。

錬堂　もう、人類の滅亡が近い、もうすぐだ。だからこうしろ、ああしろと脅しているのではない。そういうことがあるかもしれないから、**日々、隣人を愛せよ。今ある現象に対して、一生懸命生きたほうがいいよね、**という結論になる。

内海　映画の『アルマゲドン』みたいに、ヒーローが出てきて、滅亡が回避されることはないんですね。

錬堂　そういうレベルの話ではない。すべてにおいてのリセットだよね。

地球環境だって、ギリギリまで来ちゃっているでしょ。何年でここまで来た？

内海　短いですよ。この60年とか、産業革命から考えても２６０年くらいとか。

錬堂　今の人類の歴史は、４５００年はあるとして、これだけ地球の環境が壊れたのって、50年とか60年くらい。

わかりやすくいうと、俺が10歳のころって、晩飯のおかずを獲りにいったら、獲れたんだもん。伊豆の宇佐美ってところで育ったので、海のものはサザエも、アワビも、タコも潜れば獲れたし、魚もすぐ釣れた。

内海　錬堂さんは、アワビにそそられないそうですね。

錬堂　普通に食っていたから。特別じゃない。

内海　それが、60年くらい前ですね。

でも、そのころは、すでに公害問題が出ていましたね。戦後、10年ちょっとしたころから、工業地帯では大きな社会問題になっている。

錬堂　汚すのは簡単なんだ。俺が子どものころと、空の色は全然違う。海の色と同じ色をしていた。親戚の兄ちゃんがやってきて、「宇佐美って、海の色と空の色が同じだ」と驚いていた。満月だって、青かった。

内海　月がとっても青いから、って歌がありますね。

錬堂　青かったんだよ。だって、星が、もう気持ち悪いくらいあった。

内海　今もあるけど、見えない。

錬堂　あんなもんじゃないって。今の100倍は見えてたんだから、星が。
　小学校の先生が、「これが北斗七星で…」と説明しても、みんな、どれかわからない。星が多すぎるから。月明かりがなくても、星で見えちゃってたんだから。何も明かりがなくても。

内海　虫の声もすごかったみたいですね。

錬堂　すごいんだよ。９月に窓を開けて車を走らせていると、もう鈴虫の声がずーっと続いている。でも、今はそんなことないな、伊豆でも。

内海　去年（２０２２年）の世界長老会議のプレイベントのときに、「明日、世界が滅亡するとしたら、どうしますか？」と聞かれたとき、錬堂さんは…

錬堂　「**おなかがすいたら、飯を食べます**」って。

内海　それは、じたばたしてもしょうがない、ふだんどおりの生活をするということだと思います。

でも、世界の滅亡が確定したら、みんな働かなくなるから、電気もガスも水道も止まるかもしれませんね。

電車も動かないし、テレビも映らない。**何もできない**。

地震や津波は、急に来るからテレビも映っていますが、隕石が落ちてくるって確定したら、全部止まりますよね。

錬堂　ＮＡＳＡは知っているよ。多分。どういうふうにしてダメになるか。だから、生き残りをかけて、月に移住しているでしょ。

内海　そうでしょうね。

なんで先住民は知っていたのか？

錬堂　でも不思議なのは、なんで俺たちは、水金地火木って、精度のいい望遠鏡ができる前から、太陽系の星の並びを知っていたんだ？　詳しすぎないか？

司会　それは、ガリレオとかが望遠鏡を使って…。

錬堂　じゃあ聞くけど、１分はなんで60秒なの？　１時間はなぜ60分？　１週間はなんで7

日。１年はなんで３６５日で、４年に１回３６６日になるの？　こんなすごいこと、誰が決めた？

宇宙に関しては、あまりにも詳しすぎるんだってば。なぜ、昔の人はブラックホールを知っていたのか。先住民の預言にブラックホールが出てくるのか。おかしくない？

司会　誰が見たんでしょうね。

錬堂　それで、なんで縄文人みたいな絵に、３本指の人たちが出てくるのか？　いわゆるオーパーツ（発見された場所や時代にそぐわない出土品や遺跡）っていう。

内海　オーパーツは、僕はけっこう好きです。

錬堂　あれは、何代か前の人類が作ったに決まっている。

エジプトのピラミッドは、カラマヤの時代の人たち。

イースター島なんかは、マヤアトティスの、アトランティスの人たち。

ナスカの地上絵はいつなんだろうな？

マチュピチュなんて、天体に沿った建て方をしている。

内海　オーパーツの話は、「宇宙人が人間を何かの理由で作った」っていう、インテリジェントデザイン説に通じるんですよ。絶対、宇宙人の話が出てきますもんね。ＮＡＳＡは、宇宙人がいることは公式に認めてますから。

錬堂　そりゃ、いるだろうね。

内海　もしかしたら、『メン・イン・ブラック』みたいに、本当に秘密でみんな生活しているのかもしれないけど。そこまでいかないでも宇宙人がいて、もう人間なんかより、よっぽど高度な部分を持ってるんでしょうから。

だから、オーパーツの知識は、宇宙人からもたらされたんでしょうね。

錬堂　それ以外でも、1月2月3月のうち、なんで2月だけ28日しかないのか。不思議じゃない？

司会　定説はないみたいですね。

錬堂　「なんで、こうなったのか」、って考えると、今の常識は突っ込みどころ満載だよ。こんなすごいことを誰が考えたんだよ。

内海　３０００年前に、エジプトでシリウス暦が作られたようですね。でも、はっきりとはわからない。それに、世界じゅうが合わせている。

錬堂　誰も文句をいわずに。だから、人間を超える存在が、人間に影響を与えていることは間違いないと思う。

2025年7月に何かが起こるのか?

内海　2025年7月に日本に災害が来るみたいな話があるけれど、どう思います?

錬堂　そういう予言ってさ、ノストラダムスの大予言と同じで、世間を煽ったりする感じが俺はいやなんだ。どう思うといわれても、何とも思わないんだよ、不思議なんだけど。「もしも、それを知っているなら、なんで今、一生懸命やるの」っていわれる。「どうせダメになるのに」っていわれるんだけど。

内海　長老のいうことと同じですね。

錬堂　だから、おそらく明日、ダメになるといっても、こうしてうつみんと話をするし、この本はどうしようか、今、打ち合わせておこうか、って話になる。

内海　そういう話ですね。

錬堂　だから、度々起こるノストラダムスの大予言みたいなものは、「**人はどうやって一生懸命生きるべきか**」ということを警告するために、出てきている気がする。

内海　でも、ノストラダムスの大予言で1999年の7月に世界が滅亡するといわれたら、「どうせ死ぬんだから、もう勉強しない」といった人もいたようですね。

そういうことを気にしない人もいるでしょうけど。

だから、2025年7月に滅亡するといわれても、生き方が変わる人もいるし、変わらない人もいるでしょうね。

錬堂　俺も、1997年ぐらいに、たまたま友達が3人くらい遊びにきたときに、「お前、ノストラダムスの大予言はどう思うの？」って聞かれたからさ、「今の状況を見たら、来てもおかしくはない」っていったんだよ。

で、2000年の正月を過ぎてから、そのうちの2人が遊びにきて、俺にいうんだ。

「おい、この嘘つきやろう」

「何がだよ」

「お前、99年に人類が滅亡するっていっただろう」

というわけ。

「いや、『来てもおかしくない』、っていっただけだよ。勘違いするなよ」

すると、

「今さら、そんなことというなよ。来るっていうから…」

「どうしたんだよ」

「来るっていうからさ、いろんなものを大事にして生きてきたんだよ」

「おかしなこというな、おまえさ。それが普通だろ。そうじゃないのか?」

っていったら、

「また、お前の話にいいくるめられた」

といって、怒って帰っちゃった。

で、１週間後に電話がかかってきて、

「よくよく考えたらさぁ、お前のいうことは、いちいちもっともだよ」

内海　かわいい人ですね。

鍊堂　そうなんだよ。
で、その人は
「ああいう警告があってよかった。ああ思ったら、１日１日、大切に生きるよな。それが本当に生きているってことなんだよね」
っていうから、

「で？」

っていったら、

「これからも、肝に銘ずるわ。人だから、そんなことを忘れるかもしれないけどさ」

内海　でも、本当、そのとおりですね。

錬堂　だから、もしかしたら、今の人類の生き方に対する警告の意味かもしれないけれど。でも、事実としては、長老は「もう預言を引き継がない」といっている。だから（滅亡）してもおかしくはない。

内海　錬堂さんは、富士山は爆発すると思っていますか？

錬堂　そんなの、俺が知っているわけがないじゃない。それじゃ、「予言者」になっちゃう。

内海　富士山のことは、預かっていない？

錬堂　預かっていない。

内海　南海トラフの地震とかは？

錬堂　預かっていないけど、来てもおかしくはないでしょ。大体さ、10何メーターの津波で、東日本はあんな大変なことになった。

ハワイのノースショアなんてさ、30メーターくらいの波がたまに来ちゃったりする。イギリスには、50何メーターの波が来るんだよ、たまに。

だから、今までの考え方があまりにも平和すぎちゃって、いつそんなことが起こるかなんて、誰にもわかっていない。でも、簡単に起こるってことなんだよ。

内海　それは、２０００メーター級の波というのとは桁が違いますけど…。

でも、この本のテーマである、『世界が滅ぶ前に私たちは何ができるのか？』については、結論はわかったんですよ。

つまり、いつ終わりが来てもいいように、日々を生きる。それしかない。だけど、みんなはやっぱり、そのときに何が起こるのかは知りたいと思うんですよ。NASAは知っているかもしれないけど、教えてくれないし。

錬堂　そっちの話になるのか。

内海　つまり、長老から聞いた話を発信しているということですね。でも、錬堂さんの解釈は入ってくると思います。

錬堂　それに、俺が勘違いしているところもあると思う。だから、みんなで（長老の預言を）聞こうぜ、という話になる。それが、世界長老会議をやる意義だ。

内海　それはそうですね。「絶対こうだ」という話ではないんですね。あくまでも「預言」であると。

錬堂　そこは、強調しておきたいところだね。

◉天城流湯治法について

錬堂　うつみんは、天城流湯治法についてはどう思っている？

内海　天城流って、理論ややり方が、すごい特殊ですよね。

錬堂　もともと、俺の直感から始まっているしね。

内海　僕はこれまで、日本漢方とか日本鍼灸に始まり、非常にオーソドックスな東洋医学をやってきた人間なんですよ。

自分として、治療が全然うまくいかないと悩んでいたわけではありませんし、東洋医学の理論を学んで実践していく中で、自分なりには結果が出ていると思っていました。

錬堂　どんなことをやっているの？

内海　そこから広げて、占いや人相、手相とかをやっていますけど、それも東洋人相が主体です。そこからキネシオロジックな人相学をやっています。これ自体も、欧米人が考えた東洋医学です。陰陽五行をベースにしています。

薬膳も漢方も、漢文から読んで、古い理論から勉強しました。

チベット密教医学も学んで、それらを含めて根本療法と精神構造分析法を開発しました。

錬堂さんの天城流は、そういう古い医学と全然違いますよね。だけど、なんか当たるんだよね、みたいな話で。これをやり直すと、下手すると今までのやつが全部くずれちゃうかもしれないし。

だから、僕はこれをやる必要はない。僕はできないし、今さらそれを習おうとは思いません。

錬堂　そうなんだ。

内海　天城流に興味のある人がふえて、やる人がふえれば、それはいいな、と今は思っています。

世の中には、いろんな技術を持った人はいますから、そういう人とすごくつきあっていきたいと思っています。

僕は、自分では天城流を学ぼうとは思いませんが、周りに天城流をやっている人がふえてきたのは確かです。

先住民とスピリチュアル

錬堂　うつみんは「スピリチュアルが嫌い」っていっているけど、先住民はどうなの？

内海　確かに、先住民もスピリチュアル的な分野で扱われますけど、僕は今のスピリチュアルが嫌いなんですよね。精神について考えるのは好きですよ。精神に関する本をいっぱい書いていますし。哲学を考えるのも好きですから。

もう、今のスピリチュアルが浅すぎる。「光にあふれて、言霊が大事で、アセンションして、自分たちは素晴らしいんだ」みたいな。アホか。もうそんなの大嫌い。

先住民は、既に何度も闇をいっぱい見てきたし、自分たちの不遇な時代を今でも生きてますから。

日本人には、そういう感覚がどこかにいっちゃったんですよ。

錬堂　去年の世界長老会議のプレイベントでは、長老たちはコロナの感染症を怖がって、日本に来なかったね。

それも、これまでの歴史の闇みたいなものを踏まえての話だね。

内海　会議の出席者の先住民たちは、全部植民地になり、占領され、虐殺されました。それはすべて、世界じゅうの王族、貴族その他が侵略してきたわけですけれど。

その中で、侵略者たちは、先住民が持ってなかった感染症をたくさん持ってきた。

錬堂　彼らは、感染症を非常に恐れているね。

内海　先住民は、自分たちの閉鎖空間の中で平和に暮らしてますから、「外からやってくる人は、何を持ってくるかわからない」という感覚があります。

軍隊にしろ、感染症にしろ、外からやってきたものにやられて、たくさんの人が死んでしまったっていう歴史があるんですよね。

先住民たちは、感染症の知識がたくさんあるわけじゃないですから。

それが今でも続いていて、やっぱり今の先住民の人たちは、感染症に対しては正直、誤解というか無知が多いっていうのは否めないかもしれません。

でも本当は、先住民は国連の報告だけでも3億7000万人くらいいます。実際は4億人くらいいます。日本人を入れるとすれば、5億人以上になる。だから、かなり大きい集団ではあるんですよね。

錬堂　多くの日本人も、先住民の流れを引いていると考えているの？

内海　そうですね。究極的には日本人は、世界最古の先住民の末裔といえます。縄文人が世界最古の先住民で、文化を持っていた。弥生人は渡来です。
こういうことを考えたら、日本人は全部、先住民の人口に加えなくちゃいけないぐらいです。それを、いわゆるグローバルの世界の人が虐殺して支配してきたっていう歴史が、本当にくり返し行われていると思います。

そういうグローバルの世界の人たちが、なぜ日本をしつこく狙うのか、考える必要があります。

つまり、世界の少数民族は弱いといわれていますが、平和的です。いろいろ、つらいことばかり味わっていますが、そういう人たち全体がくっついていければ、世界的にもすごい動きを起こせるんじゃないかなって思うわけです。

それは、まだ私の夢物語ですが。

世界長老会議というのは、そういうのをつなぐ一つのきっかけになるかと思うので、自分としてもちょっと期待しています。

錬堂　この間（2022年10月）の世界長老会議のプレイベントには、アイヌ代表としてアシリ・レラさん（アイヌ活動家・シャーマン）に出ていただきました。

内海　もちろん、今は縄文人そのものは残っていません。

もともと、日本に1万年以上前から住んでいたことは、考古学研究でわかってきましたが。縄文人はエコ文化的だったと。

ところが、大陸から渡来してきた人たちにどんどんやられて、どんどん東に追いやられました。それでも、渡来人たちにくっついていく人や、侵略されて奴隷化された人とか、組み込まれたりとか。

今は、純血縄文人というカテゴリーはなくて、もう混ざっています。というと、縄文人はいないことになりますが、でも、我々の中に、縄文人の遺伝子や考え方は残っているはずだと思います。

そういう意味で、僕は日本人は、世界で最も古い先住民の末裔といいたいんです。だから、遺伝子だけではなく、縄文人の思想が大事だと思うんですよ。

錬堂　うつみんが思う「縄文人の思想」とはどんなもの？

内海　やっぱり、自然との共存精神と、平和的気質ですかね。このコロナ騒ぎでは悪いところが出ていますが、いいところもあると思います。

基本的にはお花畑星人なんですよ、縄文人は。

あんまり大きい侵略はないから、自然界の中で普通に暮らせればいい。先住民そのままみたいな感じのところがあったと思います。

それは今、日本人の気質にちょっと出ていますよね。それはある種の優しさとか、そういうのに通じるところがある。

グレートジャーニーはなかった⁉

錬堂　うつみんの本では、日本はムー大陸とアトランティス大陸だと、ムーのほうだとあったけど。

内海　そうじゃないかと思っています。

縄文人を含めて、モンゴロイド系の人、いわゆる先住民は、太平洋にあったとされるムー大陸から発祥している。

僕は、ムー大陸は日本のことじゃないかとも思っているんですが。彼らは平和に暮らしている。

錬堂　弥生人はどうなの？

内海　弥生人は大陸側、中国や韓国のほうからやってきた渡来人。

大陸側というのは、ユーラシア大陸の左（西）側のほうから発生していった。もともとは白人系、黒人系が主で、アトランティス大陸からやってきた。好戦的。

現生人類はアフリカから発生したといわれているけど、これは原人の話で、僕はあんまり信用してない。信用していないんだけど、一応、ルートとしてはそういう形で、人類は東側に移ってきたという理屈になっています。

中国は４０００年前に黄河文明がありましたから。

そこからいろいろ王朝があり、そこから逃げるやつや、派遣されるやつもいたかもしれないけど、そんなやつらが新天地を求めてやってきた国々の一つに、日本があったと思います。

だから、弥生時代は思いっきり渡来人です。私はそう思います。

錬堂　不思議なのは、預言を持った人たちは、みんな蒙古斑をつけている。

内海　大体、環太平洋の地域ですね。

錬堂　宇宙から降りてきたとしか考えられない。

縄文時代が話題にならないわけ

錬堂　縄文の話が、世間であんまり話題にならないのは、どうしてだと思う?

内海　けっこう、いろいろな話が出てきているんだけど、ニュースにならないですね。

昨年の世界長老会議のプレイベントで、町田宗鳳（広島大学名誉教授・比較宗教学者）さんが、「天皇は向こうの人」と、さらっといったんですよ。みんなスルーしていたけれど。

僕もそう思って、本にも書いているけれど、「それをここでいうか」と思って。その初代天皇が、もともと侵略者であり渡来系の人だと。

彼は天台系の大阿闍梨《あじゃり》ですから、そういう歴史学的なことも勉強してるし、彼にしてみたら当然なのかもしれないけれど、一般人はそんなことを考えたことないはずですし、そんなニュースなんて、かけらもありませんからね。

だからもちろん、縄文のこともニュースになりようがないっていうか、そんな話を流しても、誰も興味持たないっていう感じだから。視聴率が取れないと思っているんじゃないですか。だから、それもネット内のニュースにとどまっている。

錬堂　縄文のかなり早い時期から農耕をやっていたとなると、これまでいわれていた歴史とはだいぶ違うね。

内海　そうですね。それだけやっていたわけではなく、もちろん先住民である以上、狩猟もやっていたわけですが。日本は、他にも食材が豊富なので、食べていくには山に入っても、海に行ってもいろんなものが手に入ります。

インディアンとかイヌイットは、気候が厳しくて、狩猟しないと何も食べるものがないですから。

それと比べると、やや自由性はある。気候も温暖な感じですから、定住しやすいというのもある。平地と山が別れているから過ごしやすいところもあります。定住しやすい要素がいっぱいありますね。

だから僕は、大陸から日本に渡ってきたんじゃなくて、太平洋のまん中にムー大陸があったかどうかはわからんけれど、そこからきたというくらい、歴史の方向が逆だと思っています。逆からやってきた、日本に。

全部、西から東に流れていくというのはおかしいし。**それだけが人の流れであるわけがない。**ヨーロッパは、地図でいうと西側にあるから、そこから東に流れていくのがいいって思わせたい考え方じゃないのかなと思うくらいです。とにかく、別方向もある。

◉スピリチュアルと新興宗教について内海流に解釈すると…

錬堂　うつみんは「シリウスがどうのこうの」って話は嫌いだっていってたけど。

内海　大嫌いなんですよ。でもそれは、もともとスピリチュアルのイメージがあるからだと思います。

さっきのスピリチュアルの話に戻ったら、「自分たちが正義だ」「俺たちは目覚めてるんだ」「早く次元上昇しよう」とか、何でもいいんだけど、そんなことばっかりいっている。そんな、実験体として送られたようなレベルのやつらが、どんなにかたまったって、何も起こるわけないしみたいな。

事実を見て、現実を見ろと。そんなものも変えられないやつらが、もう次元上昇もへったくれもないわ、っていう感じで。僕の仕事自体、人の闇を見るっていう感じですから。だから、シリウスだかプレアデスだかわかりませんですけど。

よく出てくる、「僕らはなぜ存在してるのか」、みたいな存在論とか、「そもそも霊魂とかあるの」みたいな話とかは嫌いではない。「霊魂があるんだったら、どうなってるの」とか、そこから考えるのは大事です。僕は、安直な輪廻転生論とかは嫌いなので。それも昔出版した、自分の魂の本には書いていますが。

プレアデスかシリウスか知らんけど、地球が、魂を送られてくる流刑地だという考え方があるんですよ。

それで、罪を負ったやつを地球にちょっと送っとけ、そうしたら何かと結びついて、それで生物体として成立するでしょう的な。そして、そこで何かいろいろ経験して、何かになる。

宗教でいうと、六道界（死後にあるという六つの世界）の話にちょっと通じますが。

そういう考え方っていうのは、古典的にもあるんですよ。でもそういう話に通じるから

「別に、星っていわんでええわ」みたいなのはありますね。

僕がけっこう好きなＹｏｕＴｕｂｅのショートアニメがあって、ある宇宙人が昔は高度な部分を持っていて、それでもともとみんな自由でいい人だったのが、どんどんどんどん全員体裁だらけでロボット化して。すると、あぶれたやつとかが出てくるわけですよ。そうしたら、そいつを邪魔者として冷凍して、地球に送るみたいな内容のアニメがあるんだけど。いや、これそのまんまやなと思って。

これ、プレアデスじゃないじゃんみたいな。

まあ、星は僕にとってどうでもいいんですよ。だって行ったことないし、知らんしみたいな。

とにかく、シリウスとかいっている人は、大体、スピリチュアルやアホンション系にはまっているので、こっちから見るとすごく傲慢ですね。

だけど、隠すのが上手で、建前上見せない。僕のほうが、傲慢に見えるでしょうね。間違いなく辛口で皮肉屋だから。

ていう感じだけど、その隠れている精神性はもう非常に傲慢。優生思想どまん中みたいなのを感じるので、大嫌いなんですよ。そこから、プレアデスもシリウスも大嫌いなんですよ。

錬堂　そうなんだ。

内海　そういうのを素でやって、さらにごまかしているから、すごく嫌ですね。

司会　だいたい、スピリチュアルにはまる人は、現世でうまくいっていない人が多いといわれますね。

内海　それはわかります。ますますドツボにはまっていくだけですね。依存して、負のループに入っていくだけ。輪廻転生があったとして、また次もダメです。

宗教、新興宗教も同じで、みんな救いを求めてはまるのと一緒。僕は仏教の一族だから、宗教に入っていることはすべて悪いとまではいわんけど。

そこにはまって依存しても、けっきょく負のループに入るのに。

司会　救いがないですね。

内海　それを、みんなやらかしているという感じですね。そもそも、宗教の哲学的考え方だけを、採用しないと意味ないですよね。

司会　今のスピリチュアルも同じですか？

内海　そうですね。そもそも、スピリチュアルの原点が、いわゆる支配者系が流したともいわれてます。

要するに、人の心をくすぐるからね。宗教も、そうやって支配者たちが広めていったところがあるから。

でも、最初の教祖は別にそんなつもりはなかった。キリストや仏陀は、そんなことをやるつもりはなくて。自分たちがいいたいことをいい、考え方を述べただけ。仏陀なんて、なんの悟りも開いていない、タダの人です。

教祖にそんな超能力があるかどうかは、支配者にはどうでもよくて。求心力を利用されたわけです。キリスト教が国教化されたのも、全部そうです。

そういう(キリストや仏陀の)哲学思想だけを、もっと重視してくれたらいいのにと思います。スピリチュアル自体はCIAが広めたものだから、思いっきり支配者のものだから。トラブルの温床になりますよね。

司会　宗教だと、お金を払うことで地位が上がっていくところがあって、それで自己承認欲求を満たしている人もいます。ただ貢いでいる人もいますが、それで心の安定を得られていることもあるようです。

内海　法外な値段を払ったって、何も変わらんのにね。だって、仏陀の教えはタダでできますから。仏典を読んでおけ、みたいな。

人間が成長していくのに、お金なんているわけがない。いるとしても、大したことはないですよ、本を買うお金があれば。

だから新興宗教に払うみたいに、何千万もかかるわけはないよね。

ハワイの先住民との会話

錬堂　うつみんは、どうして先住民に興味を持ったのかな？

内海　世界長老会議のプレイベントには出ましたが、僕自身は先住民にはあんまりゆかりはないんですよ。だけど、なんか先住民に非常に興味を持った人間です。なぜかはよくわかりません。

錬堂　そうなんだ。

内海　だから、もし前世とやらがあるとしたら、関係しているのかもしれないと思うことはあります。先住民の遺伝子が濃いということです。でも、なんで自分が興味を持ったのかはわからない。一応、田舎暮らしをしていたころに、山によく行って、野性的な生活をしていたというのはあるかもしれないけど。

錬堂　俺は今でもそんなところがある。

内海　で、グラハム・ハンコックのオーパーツ（発見された場所や時代にそぐわない出土品）で有名な本（『神々の指紋』など）も大好きで、よく読んでましたけど。もともと歴史が好きだったから、オーパーツも好き。そういう話は、絶対先住民と結びつくと思っていたわけで。

医学的には、この本に私は影響を受けましたね。プライス博士の『食生活と身体の退化』（恒志会）。世界中の先住民を調べてある本です。

司会　その本は有名ですね。

内海　僕は10数年前から、出版などを通じて活動しています。

最初、精神科の問題の本を書いていました。が、『医学不要論』（三五館）を書いたときに、「問題は精神科だけじゃない」ということにいきつきました。

そのころに、先住民の思想を見直そうという話になったので、だから先住民の考えを医学に取り入れたのは、10年くらい前ですかね。

あと、真弓定夫《まゆみさだお》先生（1931〜2021年）との出会いも、けっこうでかかったな。この真弓先生は小児科の医師で、先住民を非常に重視されて、実際にそういうつながりもあったようです。僕の『医学不要論』を読んで、会いにきてくれたのが最初で、そこからのおつきあいでした。

こういうことがあって、「先住民が大事」ということに確信を持ったという感じですね。

錬堂　うつみんは、特にどこの先住民に関心があるの？　ハワイ？

内海　ハワイには、アメリカに占領されて殺された先住民がたくさんいました。でも全員殺されたわけではなく、占領されてどんどん進駐され、ハワイアン（ハワイの先住民）のほとんどはアメリカになびいて、アメリカ化した。それって戦後の日本と変わらないんだけど。

一方、アイヌの人みたいに、自分たちの伝統や生活を守って、ひっそりと暮らしている人たちが、ハワイにもいるんですよ。クリントン大統領のときに、「ちょっとアメリカひどいことをしたわ」みたいに、先住民に謝罪するっていう法律を一応作りました。

ただ、一大観光地となった今では、島全部を返すのは無理。それに、もうほとんどみんな、アメリカ人化していますし。

だから、一部の聖地の近くを返還するので、ここを自治区としてお使いくださいっていわれて、そこは小さい自治区になっているんですよ。一応、そこは治外法権ですよね。だから、アメリカの法律は通用しない。

実際には、アメリカの法律を守っているようですけど。

錬堂　そこには、日本人は入れるんだっけ？　うつみんは入ったみたいだけど。

内海　紹介された人だけですね。
ハワイの人でも、先住民に信用されている人しか入れない。ゲートみたいなのがあって、そこをガーッと上げて入ります。

中に、三角形の山みたいのがある。それが聖山なんですよ。本当に、映画の『ジュラシックパーク』で、岩が断崖みたいにズラッと並んでいるようなところが、バーッと連なっている。

そこでハワイの農作物、原住作物みたいなやつとか、あとは大麻かな。僕は大麻は好きじゃないけど。今は麻とかも育てている。ここには300人ほど住んでいます。

このネイティブハワイアンの聖地にハワイ独立主権国「プウホネア・オ・ワイナマロ・ビレッジ」があるんですが、そこの元首がバンピー・カナヘレさんといいます。

この人はカメハメハ大王の直系なんですけど、僕が日本でやっていることを知ったときに、「あなたのしていることは素晴らしい」なんていってくれました。ハワイは、50州目でアメリカに占領されてますからね。

でも、「なんで、日本はこんなにアメリカの奴隷なの？」みたいなことをいわれましたよ。

「ハワイはね、占領されても何もなくて、僕らもこんなに貧乏だし」

「力はないし、ハワイ島もオアフ島も人はそんなにいなかったからね」。

だから、占領されても、何もやりようがなかったというのはあったんですね。

僕がお会いしたときは、日本のＧＤＰは世界でまだ2位でした。それで、自衛隊もあるし、技術も文化もいろいろあって、人口も1億人以上いて、すごく強くていい国みたいにいわれました。

司会　確かに、この10年でだいぶ変わりました。

内海　「なのに、戦争で人を殺されまくって占領されたアメリカに、犬みたいに媚びを売っているのはなんで？」といわれましたよ。ど真ん中に直球を投げられたみたいな。「その通りでございます」と思ったけど。

ハワイもそうやって、ほとんどの人はけっきょくアメリカナイズされて、先住民の生活から逃げていったわけですよ。お金とか、ハワイの観光とかいろいろ含めて、アメリカからお金をもらって犬みたいになり、そこからどんどん大きくしていった。そういう流れがあったわけなんです。

けっきょく、どんどんハワイというもの自体がなくなっていった流れなんですけど。日本も全く同じ流れですよね。その点において、アメリカは人を支配するのが上手というか。

司会 今の日本人には、そういう自覚はないようです。

内海 それに、「ほとんどの日本人はアメリカにやられている、そういうのが日本を作っている」といっても、みんな耳を貸さない。

こういっている人たちはみんなそうだけど、基本的に孤立しているんですよ。地域の中でも、先住民の中でも孤立している。先住民同士でも。

世界長老会議を行う意義とは

錬堂　そう考えると、これまで6回、世界長老会議を開いたのは、意味があったね。

内海　そうですね。先住民同士の横のつながりを持つって意味合いがあったわけで、それは非常にいいことだと思います。

「先住民が、自分たちだけで集まる」という感覚は、以前はあまりなかったように思います。そのなかで、世界長老会議が開かれたのは、すごく意味があったと思います。

そして、**7回目を日本でやろうというのも、意味がある**と思います。

ハワイの自治区にはサークルのところがあるんですけれど、そのまわりに住居があって、池や畑があります。ゲートから入ってきたサークルの前のところに、尋ねてきた人たちは寄付をして、そこにハワイの原住作物を植えます。ここに入れてもらったお礼みたいな、まあ入場料みたいな感じです。

で、その横に、八咫烏《やたがらす》の銅像が置いてあるんですよ。１００年以上前に、日本人がこのハワイの聖地に来て、八咫烏の銅像を置いていった。これ、どういう意味、みたいな話です。

持ってきたのは、移民じゃないです。日本から来た使節団だといっていました。

多分、そのころの日本人、戦前の日本人は、自分たちがハワイの先住民と同族だというのを知っていた。そういうことだと思います。

錬堂　「コンドルが舞うとき、西から知恵を持ったカラスがやってくる」という話があるようだね。「日出ずる国の民が世界を救う」という話があったり。

内海　日本も、もともと黒船の時代から、アメリカと関わっているわけですから。黒船でペリーが来て、開国を迫られて、まず、そこからもうふざけんなみたいな話があったわけですけど。さらに、そこからヨーロッパが入ってきて、明治維新が終わり、そのあとに不平等条約の問題が出てきます。その話に、現代のＴＰＰの最恵国待遇が関係するんですよ。

日本が結ばされていた最恵国待遇っていうのは、不平等なものです。日本は最恵国待遇じゃなくて、相手だけ最恵国待遇をしなきゃいけないというもの。そんなふざけた条約を、幕末の日本はたくさん結ばされたわけですよ。その不平等条約の最恵国待遇を解消するっていうのが明治と大正の歴史なわけですよね。

そのときからもちろん、アメリカもヨーロッパも「日本人はイエローモンキー」と思っているところがあって。そういうふうなところ、占領された人は世界にいっぱいいますよね。ハワイは、その中でも日本に一番近い島になります。

ある種、同族意識というか、あいつらむかつくよね、みたいな意識が共通しているんじゃないかと思います。

よく日本が第二次世界大戦のときに、東南アジアの解放に役立ったみたいな話が出てきますけれど、それも同じような意味ではないかと思います。

欧米人は敵。同族は味方みたいな。完全ではないけれど、そんな中で何かやろうとしたというのがあるんじゃないかな。

錬堂　弥生側にも先住民はいないのかな？

内海　弥生側の先住民というのは、多分中国とかに発生した原住民的な人々だということになって、それは多分、大陸から日本に移ってきた人になるので、先住民といわれたら違うというか、違うルーツだと思いますね。

大陸でいうと、先住民はモンゴルがその代表ですね。放牧系の人はけっこう古い歴史がありますよね。あと、ロシアの北のほうにネネツ人などがいます。アイヌも、実はロシアから日本に移ってきた人たちなので。

中国や韓国は、シルクロードから渡来してきた人たちがけっこう多いので、先住民といっていいかちょっと微妙なところがあるんですけど。

チベットやウイグルは、実は一番歴史が古い民族なんじゃないかといわれてますね。だから、迫害されているんじゃないかと私は思っています。歴史的には、もっとちゃんと調べないとわかりませんが。

錬堂　モンゴルの人は、特に日本人と似てるといわれるね。

内海　モンゴルは親日だし、すごく日本人と似ていますね。

源義経がチンギスハーンになったという、普通は考えられないような都市伝説があります。こんな話が出るのも、同族だからだと思います。騎馬民族だという共通点もありますし。日本の武士は、戦国時代は世界最強でしたから。圧倒的トップですね。

インディアンも馬にすごく上手に乗ります。

なんか、自然のものと一体化するのが上手。

自給自足生活について

司会　話は変わりますが、『コロナパンデミックの奥底』（ヒカルランド）という本では、対談相手の玉蔵《たまぞう》さんが、「長野のほうでコミュニティを作って、自給自足生活をやっている。それが世界のシステムから逸脱して生きる道じゃないか」と書かれていますが、どう思いますか？

内海　僕は反対です。8～9割反対。もちろん、自給自足はできたほうが生き延びる可能性は高まります。昔の人は当然そうしていましたから、その意味で悪いとまではいいません。でも、今の政治システムから逃れられるかというと、むしろ逃れられない。

司会　それは、どうしてでしょうか。

内海　今の政治システムにあぐらをかいて、「自由だ」というのは、お花畑の延長に過ぎないということです。僕は、2025年以降は超管理主義がやってくるといっている。そのとき、一番最初につぶされるのは、自給自足をする人たちだと思う。

その人たちを、「カルト」とか「新興宗教」だとかいっておけばおしまいなんだから。だから、第１部でいった、「種苗法に違反している人々」というふうに持っていけば、「ほかにも法律違反をいっぱいしてますよね」ってなります。最近、世界経済フォーラムは、米を作ることは環境破壊になり、温暖化をもたらすとまでいい出しました。

そういうことをやっている人たちは、小さい法律違反をしているともっていかれる。だから、つぶすの簡単だと。

司会　自給自足といっても、電気は止められちゃうかもしれません。

内海　そうですね。自分たちで生活だけはできるかもしれないけど。

本当に、種が大事かなと思います。

錬堂　やっぱり種が重要なんだね。

内海　狩猟はできないと思うんで。もちろん、人によっては狩猟免許を持っていると思いますが、それだけじゃ現代では食っていけない。

司会　農業も狩猟も両方やらないと、生存に必要な栄養価を保つことはできないかもしれませんね。

内海　それに、超管理主義の中では、「あの人たちは危ない人々だ」みたいな感じにされるでしょう。

自分たちの権利を守るのはいいんですよ。そうやって過ごしてる人たちは、別に「財閥を倒そう」とか思っていないと思います。

彼らが最低限の権利を守りたいというのは、イコール最悪の排除をするためになる。これは、僕の発想に通じるところがあります。だから僕は、やりたくもない政治活動をやっているんですよ。

税金なんか、みんな払うのは嫌だけど、でもけっきょく払う。払わなければ、税務署は死ぬほど追ってくるし。逃げられないですよね。だからみんな、節税とかいっぱい考える。

それを考えることと、政治を考えるのは一緒なのに、政治だけは無関心を貫くのが今の日本人。という意味で、政治のことを、嫌だけどやってます。

だから自給自足に関しては、ダメとはいわないけど、ちょっとお花畑感が出てるっていうのが私の解釈です。お気楽であると。

だって戦争のとき、本土決戦にならなければ、自給自足をしていたら大きいかもしれません。けれど、本土に攻めてきたり、進駐してきたりしたら、まず自給自足では食べ物を全部持っていかれて終わりです。昔もそうですよね。戦国時代だって、どんなに自給自足していても、占領されたら終わり。

錬堂　それは究極のパターンだけど。

内海　でもそんなことは、歴史的にはよくある話です。自給自足をしてたら、そんなシステムから逃げられるっていうのは、そういう戦国時代とか、そういうちょっと古い時代だと考えられない世界観ですね。

錬堂　みんな、自給自足をしているのが、あたりまえだった。

内海　それで生きていけるって、絶対に思っていない。誰がどこに侵攻してくるんだろうとか、誰が力のある領主なんだろうとか、いつも考えている。

それは、政治を考えていることと一緒。だから、僕はそういっているだけです。

現代人は、その自給自足すら考えないから論外だけど。昔は作ってあたりまえ、自分が取ってあたりまえ。今は、スーパーで買ってあたりまえですから、それは違いますよね。

今は、狩猟免許とかワナ免許とかを持っていれば、山は食べ物の宝庫ともいえますよ。しかもイノシシもシカもふえているからね。

錬堂　最近そうだね。伊豆にもいっぱいいる。

内海　狼がいなくなったから。

思想を忘れた日本の現状

内海　錬堂さんは、外国で行われた世界長老会議に行っていた人で、７回目が日本であることが決まっていた。でも、「自分だけだと知名度が低いし、協力者も集まりにくいから、協力してほしい」といわれたところから、協力することにしました。

錬堂　今回、日本で７回目。やっぱり、７は吉兆の数字だから、日本でやるのは非常に意味があるね。

内海　でも多くの長老は、次に預言を受け継げないという話になっているらしいですね。
そういう時代に入ってきたし、本当に終末期という時代に入ってきているというのが、その先住民の長老たちの世界観だというところがあります。

それは、僕の考えと近いところがあります。

だからといって、地球が滅ぶかどうかは、また違う話だと私は思っています。

今は、多分暗い時代なんだけど、新しい時代がやってくると考え、そのときのための準備をしなきゃいけないと思っています。

そのとき**一番大事なのは、やっぱり思想**ですね。技術とか、お金とか、政治システムよりも、生き方とか思想。政治は、それを反映させていくだけですかね。

でも今はそれがないんですよ。

今はとにかく、インフルエンサーやテレビに出てるクソ学者みたいなやつとか、偉そうにうんちくばっかかたれてるやつとか、なんか5チャンネルとかやっていたひろゆきとかホリエモンとかが筆頭みたいなやつだと思うけど、あれが論破王とかいうんでしょう。もう、全然論破してないよお前みたいな感じだけど。

ああいうのがすごいみたいな感じでいえちゃう、この日本人とか現代人の精神性はすごいと思う。感心する。**それぐらい思想がないんですよね。**

司会　あまり、ものを考えなくなってきているのでしょうか。

内海　それだとずっと、奴隷生活のくり返しになっていくという感じです。でも、「自分たちは自由だ」と勘違いしてるだけみたいなイメージですかね。

あんな目先の金満主義を素晴らしいっていう発想を持つのは、文明ができてからの人類の発想ですよ。

それは、少なくとも先住民とか、世界じゅうの平和な民族が持っていた思想ではないんですよ。

それを一番忘れてるのが日本人ですから。実は、インターネットで陰謀論を唱えてる人も、そんな思想はありません。

知らないから、しかたなくスピリチュアルに飛びつくしかないわけですよ。

司会　売れればいい、その場が楽しければいい、という傾向が強くなっているということでしょうか。

内海　だから、今回の世界長老会議に参加して、先住民の思想や考え方に直接ふれる人たちは、その思想を伝えるのに、一番コアな人々になるでしょうけど。

それをいろんな媒体の中で紹介していくことができれば、思想・思想書として残っていくことになります。それも宗教といわれちゃうんでしょうけど、でもカテゴリー的には宗教じゃないんでね。

そういうものを残すという意味が、世界長老会議にはあると思います。イベントとしての集客人数とか利益とかっていうのは、本当にどうでもいいので。

利益なんかオマケでやっています。それはもう、こっちの生き方の問題につながるから。本当に、来てくれるかどうかもわからないけど

錬堂　確かに、開催すること、参加することに意義がある。

内海　一応、長老たちがコロナにビビらずに来てくれるのを前提として、ギャザリングは楽しみだと思っています。

富士山の麓に、みんなが一堂に会して、地球とつながる儀式というのは、すごい楽しみですね。一晩じゅう飲めるだけでも楽しみだけど。

日本の昔の祭りってそういうところがあったはずなんですけど、コロナでなくなっちゃったからね。

長老たちは、彼らの価値観で生きています。「４５００年前に人類は滅んだ」といっても、「だって人類は現にいるじゃん」みたいな話です。マトリックスの世界じゃない限りは、現にい

るわけだから。

だから、価値観からしゃべっていると、私は思うわけです。違う意味かもしれませんけど。

魂が入れ替わったとか、違う魂が送られたっていう意味合いで取ってるんじゃないかなって思っています。あるいは、人間の質が変わったという意味で取ってるのかなと思っていま
す。

それを、「滅びた」と表現をするのは、先住民っぽいと思いますね。

先住民の医療について

錬堂　うつみんは、先住民の医療は、どこがすごいと思っているの？

内海　まず、先住民はなんでも食べる。狩猟したものを食べる。だから、動物性食品をけっこう食べます。

私は、生物学的には人間は上位種に入ると思っているので、草食ではなかなか健康に生きていけないと思っているところがあります。

ただ現代においては、病気になったときに草食の食事法をすると、病気の改善に役立つことはありうると思う。一応そういうスタンスです。

でも、現代ではそれを守らない人がふえています。和食は体にいいとか、ビーガンとか、ベジタリアンとか、ナチュラルハイジーンとかを、平時にそれしかやっていないことは、非常に問題視している人間ですね。これらは、全部同じなんだけど。

それらの食事法を日常的にやった結果、病気になった人が私の病院にたくさん来ます。

鍊堂　俺は、よくかんで食べることが大事だと思っている。

内海　それは、前提としてそうですね。

肉食については、それ自体が悪いのではなく、今、市場に出回っている肉の質が悪いということだと思う。その問題もひっくるめて、「肉食は体に悪い」といっちゃうと、それは栄養学的には問題だと思います。

今の肉は、薬漬けだったり、エサが悪かったり、育てられている環境が悪かったりと、いろんな点で問題だというのはわかります。けれども、それで肉食が悪いということになったら、今までの人類の歴史はどう説明するねん、みたいな話になる。

それは、オーガニックという話にも通じます。農業だけがオーガニックではない。そういうことで、動物性食品の質を高めましょう、ということはいっています。

もちろん、生活の問題もあります。あと、さっき出ていた思想が一番だと思います。それは病気にもつながります。

あとは、先住民には所有制がないですね。お金、貨幣経済はないんです。

貧富の差があまりなくて、貴族奴隷制もない。
農業もやっていないか、やっていても小さくやっていますね。

錬堂　農業をやると、貧富の差が出る。

内海　農業と、所有制と、貧富の差、貴族奴隷制、宗教。これが全部セットになってますね。**先住民の世界観の中では、農業ってひどいこと**なんですよ。

農業が地球のためとか、人間のためになるというのは、寝言は寝ていえみたいな感じですよ。また、母なる大地に思いっきり傷をつけて、作物を植えて無理やり生やす。そう解釈をするみたいだと、真弓《まゆみ》先生がおっしゃっていました。

「人間が食えるものは、山にあるじゃん」みたいな。林にも川にもある。その辺のぺんぺん草でも、食おうと思ったら食べられるという話なんだけど。

錬堂　自給自足というか、大地と一体化した世界だね。

内海　自分たちの都合で、無理やり大地を切り開いちゃいますから、「本当、最悪」みたいな。なのに、自称自然派みたいな人は、「それがいい」なんていってますが、昔の先住民から見たら、頭おかしいってなります。

もちろん、現代では人口がふえちゃったから、それはなかなかうまくいきませんけどね。そういう意味では、現代では農業をすることは避けられないと思います。

錬堂　そんななか、どうしたらいいんだろうか？

内海　いわゆる**オーガニック農業をやるにも、先住民の意識・考え方を持っているかどうか**で、だいぶ違うと思います。

そもそもオーガニック農業をやっても、先住民から見たら偉くもなんともありません。

そんな先住民は、とにかく病気がない。ガンがない、虫歯もない、ハゲもいない、ボケもいない、アレルギーもない、生活習慣病もない、遺伝病もない。

とにかく全部、ないないづくし。虫歯は０・１％ですからね。誰も虫歯がない。矯正をする必要がない。先住民はそういう人たちです。大体、放牧民で２％ぐらいの虫歯率。昔、農業をやってた人たちでも30から40％ぐらいです。

でも、現代では虫歯率、もしくは虫歯治療をしたことがある人は、90％ぐらいですね。レベルが全然違います。

アンチエイジングの話にも通じるんですよ。野生動物だって、野生のシカって、人間の年齢で換算すると80歳ぐらいでも、けっこう山でピョンピョン飛んで、普通に生活している。もちろんシカの中では、衰えているほうかもしれません。

でも、人間みたいな老人にはならないですよ。先住民でもそうですけど、現代人みたいにボケないですよ。しかも、１２０歳くらいまで生きますし。

欧米人に会う前の先住民じゃないといけないですけどね。

だから、**昔は寿命が短かったというのは、完全なる錯覚です。**

平均寿命が短いと思っているだけなんですね。平均寿命だって、大体、先住民は30歳から35歳ぐらい。

一方、農業をやりだして、戦争をバンバンやっていた時代だと、大体、平均寿命は20歳ぐらいです。

でも、**平均寿命を下げているのは、すべて新生児で死ぬこと。**それ以外だと、**ケガで死ぬこと**です。外科学とか抗生物質がないから。

当然、そういう時代は、ケガと感染がセットです。それが平均寿命を下げているだけ。

ガンとか、血管性疾患とかはないので、当然ながら老人は死にません。それで、100歳でも120歳でもいいんですが、かなり年寄りになってきたら、猫が山に死ににいくように、死ににいったりとか平気でしますね。

昨日まで元気だったけれど、「俺、ちょっと死んでくるわ」みたいな感じでちょっと行って、死んでくるみたいな。セルフ姥捨てみたいなことを、普通にします。

死期が来たというと、山に帰る、みたいなイメージですかね。

その辺は、地域によっても違いますが。

それに、背骨はなかなか曲がりませんからね。

現代人の背骨が曲がる理由は、一番は栄養欠乏です。毒の吸収もありますが。

あと、狩猟だろうが採集だろうが、当然、体を使います。日本の農業をやっていた人たちも、かなり労働をしていましたが、そういうのをしなくなったことも、人類が病気をこしらえている理由の一つではあると思います。

集団生活をするのも大事ですね。現在は、一人暮らしの人が多いけど、そんなことは先住民ではあるわけないんで。これは農耕民でもそうだと思う。これは、けっこう大事だと思いますよ。個食なんて、1人でメシを食っているとかない。ワンオペ育児なんてありえない。

司会　老人は、みんなで世話をしていると聞きます。

内海　そうですね。所有制とか地位がないので、老人が老害なんかにはならない。日本でいう隠居とかと同じで、老人はそんなに表に出てこなくなる。でも知恵の宝庫なので、何かあったら聞きにいく感じです。

そのときにボケていたら話にならないけど、先住民の老人はボケていないので。

人間は40～50代になってくれば、近接過去（最近の記憶）を忘れちゃうのは当然のことです。「昨日、何をやったか」なんてことを忘れる、物忘れが出てくるのは、先住民でも現代人でも普通のことです。それは自然な経過なので、認知症とはいいません。

一方で、現代の認知症といわれる人でも、昔のことはよく覚えています。

でも、先住民の老人は、現代人のように暴れたりとか、徘徊したり、よくわからないことばかりいったりすることはありません。

先住民は老人を、昔のことを引き出す辞書みたいに使うわけです。そこに存在価値がある。だって、もう狩猟には行けないから。

地位も所有制もないから、メシもなんでもみんなでわけあいます。

内海　インディアンの伝承だと、１４０歳ぐらいまで生きたっていう話があります。年をどう数えているのかという問題はありますけど。なかでも、ミクマク族には「ワインとパンが来たから、もうダメなんだ」という有名な伝承があります。

でも、「昔からの生活とか食事をしているやつは、今でも１３０歳までいける」みたいな感じのことが書いてあります。

彼らは、バッファローやバイソンを獲って食べます。1匹獲ったら、全部使うわけですよ。皮も骨も使用するでしょ。ある種苦労もあるけど、そういう生活をしていたら、人はみんな丈夫だと書いてある。そりゃ、そうでしょと思います。今は、そういうのは全然なくなっちゃったから。メンドクサイで終わりですもんね。

僕も狩猟をしているわけじゃないけど、見習えるところはいっぱいありますね。

日本の伝統でもあるクジラ漁なんて、戦いですからね。「かわいそう」じゃすまない、みたいな。人間も命がけです。でも、大きいのを1頭獲ると、それだけですごく多くの人が、長期間、生き延びられる感じですね。

アメリカのインディアンが、バッファローやバイソンを獲るのも同じで、1頭獲ったら、当分安泰です。

冷蔵庫はないから、干し肉にしたりするけど。

それでも、もちろん毎日狩猟に行きます。それが普通ですからね。

「狩猟をやめて畜産をしてるから、自分たちも畜産動物になるんだ」というイメージを持ってもいいいかもしれませんね。

コオロギ食と無思想性の関係

司会　これからの日本は、畜産をしている場合じゃない、という話もありますが。

内海　食糧問題については、危機感を煽って、何かを流行らせようとしていると思います。けっきょく、食糧配給はされるけど、見方によっては「それは食べ物なのか」というものかもしれませんが。

本物のものはあまりないから。そこまではわかりますけど、多分99％の人はそんなに考えないと思います。

司会　最近は、コオロギなどの昆虫食が急に話題になってきています。

内海　昆虫は昔食べていたから、食べること自体はいいと思います。でも、これから出てくるものは、**昆虫にどんな操作されているか、わかったもんじゃねぇよと。**

虫が一番簡単に操作できるからね。

全部、粉にすればいいんだもん。無印良品だって、コオロギ入りの製品を売っているしね。

今後は、売っているのは普通のコオロギなのかということを、むしろ心配したいよね。虫のほうが、生物操作は簡単だと思います。

たんぱく源とすると、栄養価は無茶苦茶高いですよ。

畜産も、山に柵だけ作って、そこに放牧するようなやり方をしている人がいます。それだったら、エサはいらないわけですよ。めちゃくちゃ広大な土地を持っていれば。それだったら、だいぶ野生に近いですね。

司会　過去には、肉骨粉を食べさせていて…。

内海　そうすると問題が起こりますけど。鶏なんかも、そうやってけっこう広いところで放し飼いにして。虫なんかも鶏が勝手に獲って食べるからね。そのほうが健康に決まっている。

健康に育ったものを食べたほうが、健康になるっていっているだけですけれども。

食料廃棄の問題もあります。一番はコンビニですね、やっぱり。今の日本の食糧事情から考えたら、何割を廃棄しているか忘れましたが、少なくともその半分は用意する必要がないものでしょ。やめればいいのにね。

司会　食糧自給率が低い国なのに、食糧を無駄に廃棄しています。

内海　コンビニが流行ってしまうのも、やっぱり傲慢の果てなんでしょう。コンビニに行くんじゃなくて、その辺の食堂に行って、普通に定食でも頼んで食べればいいのに。それだと、ほとんどロスが出ません。

コンビニだと、大幅にロスが出る。そういうシステムがまかり通っているのがすごいと思う。それが普通じゃないと思わなくなっている。

だから、何度もいうように、思想が大事なんですよね。

エピローグ
もし、世界が明日、滅ぶとしても

もし、世界が明日、滅ぶとしても

内海　もともと錬堂さんは、75歳で引退するといっていますよね。

錬堂　天城流からは手を引く。

内海　でも、隠居するわけではない？

錬堂　わからない。隠居をしたいんだけど、おそらく違うかもしれない。

なぜかというと、あまりにもこれまでの経験が多すぎるわけです。「なんで、こんなにいろんな経験をしているんだ」と、自分で思うことがある。

これは、ひょっとしたら、ただ、経験を積んでいるわけじゃない気もする。

内海　というと？

錬堂　次の若者たちに、「こんなことをやったらいいんじゃないか」と、知恵を授ける。知恵袋になるんじゃないかと思っている。

内海　それは、まさに長老の役割ですね。

錬堂　まわりの人は、俺のことを「チーフ」と呼ぶでしょ。チーフって、ネイティブアメリカンの中では、「酋長」のことなんだよね。

まだわかんないけど、おそらく、そんな知恵袋的になっていくような気がする。

内海　今後、２０２５年に向けて、政治家や官僚は、ますますアメリカのいいなりになっていく。逆らうと殺されちゃうみたいなことがあると思いますが…。

錬堂　日本人は「和」の民族だから、調和をとりながら、うまくやるような気がする。

俺はいろんな国の人と交流がある。だから国との交流じゃなくて、人との交流でいうと話が違ってくる。

内海　そういう話はありますよね。草の根交流というか。国同士は戦争をしていても、「会えば、いいやつ」みたいなことは。

錬堂　だから、国としてどうしたらいいか、わからないところもあるんだろう。でも、日本はいろんなものの知恵を持っているような気がする。

だから、世界が滅亡するかもしれなくても、俺は世界が少しでもよくなるように、知恵を絞って、丁寧に生きていきたいね。

その日がいつかはわからないけど、いつきてもいいようにしたいと思う。

内海　私は本当に2000メートル級の波が来るとは思えませんし、当然、それがいつ来るかもわかりません。

一方、このまま何もしなければ、２０２５年に日本がなくなると思っています。ですから、そうならないよう、最悪の事態を招かないようにしたいと思います。

もし、世界が明日滅ぶとしても、こうして、日々をきちんと生きることが、私にできることだと思っています。

おわりに

うつみんとの出会いは衝撃的で
前々から過激なお医者さんとしては知っていたけど
実際会って話してみると意外に人見知りで
気配りを気にする人だったのには驚きました。
世界長老会議の打ち合わせで月一で会うようになって
会う度ごとに話していくと
過激な話も的を射ていると

納得できるようになっていきました。

今の時代

この過激さが必要なんじゃないかと思い

彼のことを信じて応援するほどになってしまった。

それほど人を引きつける魅力を持っている人物なんです。

私は、今の政治や政治家に対して

不平不満を持っている訳ではありません。

ただ、このままではいい世の中にならない事は確かなので

私はその中で小さい視野ですが
医療費を削減するべく
健康法を広げているのです。
そして、うつみんのような人物が
世界を変えてきた事を知っているので
絶対的にこれからもうつみんを支持し
応援していきたいと思っています。
２０２３年６月

天城流湯治法主宰　杉本錬堂

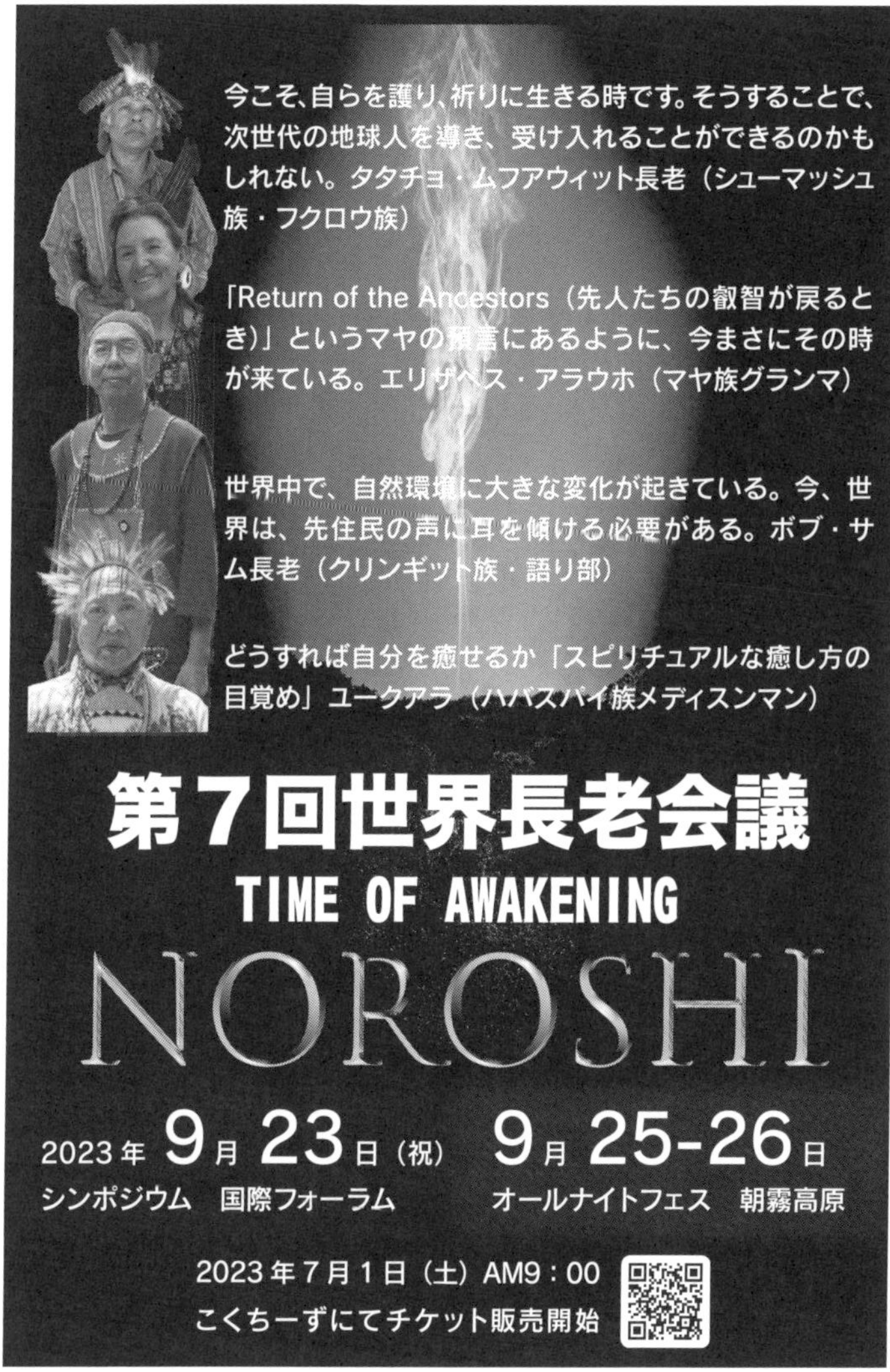
今こそ、自らを護り、祈りに生きる時です。そうすることで、次世代の地球人を導き、受け入れることができるのかもしれない。タタチョ・ムフアウィット長老（シューマッシュ族・フクロウ族）
「Return of the Ancestors（先人たちの叡智が戻るとき）」というマヤの預言にあるように、今まさにその時が来ている。エリザベス・アラウホ（マヤ族グランマ）
世界中で、自然環境に大きな変化が起きている。今、世界は、先住民の声に耳を傾ける必要がある。ボブ・サム長老（クリンギット族・語り部）
どうすれば自分を癒せるか「スピリチュアルな癒し方の目覚め」ユークアラ（ハバスパイ族メディスンマン）
第7回世界長老会議
TIME OF AWAKENING
NOROSHI
2023年9月23日（祝） 9月25-26日
シンポジウム　国際フォーラム　オールナイトフェス　朝霧高原
2023年7月1日（土）AM9：00
こくちーずにてチケット販売開始

内海　聡（うつみ・さとる）

医師。2013年、断薬を主軸としたTokyo DD Clinicを東京都台東区に設立。NPO法人薬害研究センター理事長。市民がつくる政治の会代表。日本再生法人会代表理事。Facebookフォロワーは17万人以上、Twitterは15万人以上。執筆活動も精力的に行っており、精神医学の本質を暴いた『精神科は今日も、やりたい放題』（PHP文庫）や、『新型コロナワクチンの正体』（ユサブル）などがベストセラーに。また、先住民に関する造詣も深い。医学の正体や、社会構造、健康になるための食事法、量子医学にいたるまで著作は多数。近著に『2025年日本はなくなる』（廣済堂出版）がある。
NPO法人薬害研究センターのホームページ：yakugaikenkyu.com

杉本錬堂（すぎもと・れんどう）

天城流湯治法創始者。一般社団法人天城流湯治法協会代表。世界部族長老会議（シャーマン会議）日本代表。2007年にペルーで開催された世界長老会議に招聘される。世界中の部族の預言を実際に長老から聞き、その共通項に感銘を受ける。2008年、マヤ暦の最高神官、ドン・アルハンドラとともに日本全国ツアーに参加。アメリカ、アリゾナ、スイス、南米コロンビアでの長老会議に招聘される。世界中や日本の聖地に赴き、そのシャーマニズム的な直感力を使い、人の身体の痛みを見抜き、自分自身の手で治す方法を伝える。近著に『顔の左右が違うのはなぜ？ 1分で改善できる技公開』（三和書籍）がある。　天城流湯治法のホームページ：amagi.or.jp

世界が滅ぶ前に私たちは何ができるのか？

2023年　6月30日　　第1版第1刷発行
2023年　7月23日　　第1版第2刷発行

著　者　内　海　　聡
　　　　杉　本　錬　堂

発行者　髙　橋　　考
発行所　三　和　書　籍

〒112-0013　東京都文京区音羽2-2-2
TEL 03-5395-4630　FAX 03-5395-4632
sanwa@sanwa-co.com
http://www.sanwa-co.com
印刷所／製本　中央精版印刷株式会社

乱丁、落丁本はお取り替えいたします。価格はカバーに表示してあります。

ISBN978-4-86251-507-0　C0095